토라 이야기의 밑그림

윤재덕

토라 이야기의 밑그림

발 행 | 2023년 8월 28일
저 자 | 윤재덕
교 정 | 이학수
펴낸이 | 한건희
펴낸곳 | 주식회사 부크크
출판사등록 | 2014.07.15(제2014-16호)
주 소 | 서울특별시 금천구 가산디지털1로 119 SK트윈타워 A동 305호
전 화 | 1670-8316
이메일 | info@bookk.co.kr

ISBN | 979-11-410-4180-9

www.bookk.co.kr
ⓒ 2023

평생을 정직한 노동으로 살아오신 아버지께

목차

들어가는 글 : 해법은 아주 가까운 곳에[1]

오 : 안녕하세요. 저는 김포 꿈소망교회의 오흥표 전도사입니다. 오늘 이렇게 인터뷰에 응해주셔서 감사합니다. 이번에 저희 청년들과 함께 신천지에 관한 이야기를 나누었으면 하는데요. 사이비 이단에 대한 경각심을 주고, 또 신천지 문제를 교회가 어떻게 해결할 수 있을지에 관해서 이야기를 해주고 싶어서 모시게 되었습니다.

윤 : 네, 반갑습니다. 적절한 타이밍에 적절한 이야기를 할 수 있을듯 합니다. 신천지 뿐만 아니라, 하나님의 교회, 통일교, 여호와의 증인, 전능신교, 은혜로교회 같은, 그리고 이 밖에도 이름이 알려지지 않은 이단들까지 정말 많지요. 지금은 그야말

---

[1] 2021년 8월, 김포 꿈소망 교회 청년부에 강의 초청을 받았습니다. 저는 교회 상황을 파악하고, 제가 강의하려는 내용을 사전에 소개하기 위해 청년부 교역자와의 인터뷰를 요청했고, 아래는 그때 나눴던 대화의 일부입니다.

로 대이단의 시대라 할 수 있습니다. 물론 코로나 사태와 맞물리면서 신천지가 언론에서 많이 다뤄지긴 했습니다만, 사실 신천지만이 문제가 아닙니다. 그래서 우리는 왜 이토록 이단들이 많아졌으며, 세력이 커지게 되었는지에 대한 문제부터 생각을 해봐야 하는 것이지요. 아마 청년들도 심심치않게 친구가, 또 친구의 친구가 이단에 연루되어있다는 소식을 들었을 것입니다. 그만큼 이 이단 문제가 흔해졌어요.

Q1. 그렇다면 어떤 이유에서 이단 문제가 이토록 커지게 되었나요?

윤 : 복잡 다단한 이유가 있겠지만, 일단 넓은 외연에서부터 그림을 그려볼게요. 오늘날은 500년전 유럽처럼 그 마을의 영주가 갖는 종교가 그 마을 전체의 종교가 되지 않습니다. 심지어 집안에서도 아버지의 종교가 곧 아들의 종교를 결정하지 않습니다. **스스로 판단하고, 자신의 신념을 자신이 결정하는 것이 자연스럽습니다.** 그런데 자신의 신념을 개인이 결정하다보니, 성경에 관해 적절한 기준을 배우지 못한 이들은, 진리에서

벗어난 변종들을 선택하는 것도 충분히 가능해졌습니다. 그리고 이러한 상황을 이용해서 배를 불리는 사람들도 생겼습니다.

조선시대에는 없을 '내가 나의 신념을 결정한다'는 신념은 근대에 들어와서 생긴 얼마 되지 않은 생각입니다. 그리고 이러한 자의식의 발달과 더불어 **기독교가 2000년동안 이어왔던 전통이, 오늘날 교회 안에조차 잘 전달되지 못하고 낯선 것이 된 것 또한 이단 문제가 심각해진 또 하나의 원인입니다.** 목회자들도 교회도 교인들이 좋아하는 이야기, 교인들이 편한 이야기, 교인들이 많아질 수 있는 이야기를 하려고 하다 보니, 성경 본문에 관한 개개인의 느낌이나 감정은 나눌지언정 신약교회가 가진 전통에 관해서 체계적인 교육을 갖춘 교회를 만나는 것이 어려운 일이 되었습니다. 다시 말해, 사도들의 고백으로부터 초대교회 교부들의 문헌을 지나 중세 천년을 거쳐, 종교 개혁을 지나, 근대 교회 이후에 오늘 우리가 있는데, 이러한 교회로서 갖고 있어야 할 역사에 입각한 거대한 서사와 시대정신이 사라진 것이지요. 그럼에도 여전히 이런 내용들은 신학을 전공하는 사람들에게나 필요한 것으로 여겨지는 것이 지역 교회의 현실입니다.

그리고 **세 번째 원인으로 지목하고 싶은 것은 한국 교회의 이미지가 한국 사회 안에서 대단히 나빠졌다는 것입니다.** 얼마 전 한국 교회에 대한 신뢰도가 급격히 낮아졌다는 기사를 보았는데요. 교회들이 이름이 필요할 땐 "한국 교회"이고, 한국 교회가 욕먹을 땐 "우리 교회는 괜찮아"의 이중적인 스탠스를 취하고 있는 건 아닌지 되돌아볼 필요가 있습니다. 사람들이 교회에 대해 갖는 이미지가 곧 한국 교회 전체의 이미지입니다. '현재 한국 교회는 지역 사회 안에서 진실의 보루 역할을 제대로 감당하고 있느냐?'라는 질문 앞에서 오늘날 넘쳐나는 이단들은 교회가 그렇지 못하다는 것을 보여주는 실례들입니다. 이단으로 가는 많은 사람들도 더 이상 교회에는 설득력이 없다고, 교회에 실망해서 가는 사람들이 대부분입니다. 설득력이란 전달하려는 내용과 삶의 태도로부터 생기는 것인데 교회가 내용과 태도의 측면에서 실패하고 있는 사이, 이단들이 다른 내용과 교회보다 나은 설득력을 가지고 세상과 교회의 틈에서 무성히 자라났습니다.

Q2. 하지만 교회는 지금까지 열심히 성경 이야기를 가르치지 않았나요? 매주일 목사님들이 설교를 해왔고, 또 공과공부도 매번 해왔습니다. 또 다수의 일반 지역 교회들은 그렇게 문제를 일으키지도 않았습니다.

윤 : 물론 그렇지요. 먼저 현재 교회에서 벌어지는 교육에 관해 이야기를 하자면, 저 역시 유년시절부터 청년부에 이르기까지 교회에서 설교 많이 듣고, 주일학교 공과 공부에 빠진 적 별로 없었습니다. 그러나 그것이 얼마나 효과가 있었는지를 되물어보자는 것입니다. 그것을 확인하는 방법은 간단합니다. 성경은 창세기에서부터 요한계시록까지 유기적으로 연결된 하나의 큰 이야기에요. 그 이야기에 관해서 오늘날의 교인들이 설명할 수 있을지를 생각해본다면, 사실 교회는 참담한 수준입니다.

잘 아시다시피 그간 교회가 성경을 교육하는 방식의 절대적인 비중을 차지하는 것은 '설교'였습니다. 그런데 설교는 성경 전반을 다루기에는 시간이 짧고, 또 주일설교의 경우 다음 회로 이어지려면 일주일을 기다려야 합니다. 게다가 목회자의 입장에서는 설교를 통해 사람들에게 적용점을 주어야 한다는 생각에, 설교가 윤리적 결론을 담은 교훈적인 내용이 되기 십상입니다. 예레미야나 에스겔과 같은 예언서들은 설교로는 정말 다루기 어려운 본문들이지요. 매주 저주와 심판의 메시지만 반복해야할 뿐만 아니라, 내용도 일주일 텀을 두고 뚝뚝 끊길테니까요. 그간 교회가 예언서들을 충분히 다루지 않았다는 것은 설교라는 형식이 갖는 문제점들을 여실히 보여주고 있어요. 교인들의 입장에서는 성경 전체를 이해하는데 꼭 필요한 구약 예언서들에 관한 내용을 접하기가 어렵습니다. 스가랴의 내용, 이사야서의 전반적인 내용, 다니엘의 꿈에 대한 해석을 잘 알고 있는 교인들을 만나기 어려운 것은 이러한 구조적인 문제가 있습니다. 즉 오늘날 교회가 겪는 문제를 **이야기의 부재**라 말할 수 있을 거예요.

교회가 새로운 식구가 교회를 방문하기를 기다리기 보다는, 교회가 가진 소망을 교회 밖에 어떻게, 얼마나 전달하려고 노력해왔는지를 생각해봅시다. 사실 제가 앞서 말씀드린 이야기의 부재때문에 교인들은 믿지 않는 사람들에게 자신의 소망을 설명할 수 없는 상황입니다. 그저 '우리 목사님 설교 좋아, 우리 교회 재미있어' 정도입니다. 그런데 이제는 교회의 이미지 자체가 나빠졌기 때문에, 그런 내용없는 교회 소개로는 교회의 교회다움을 전달할 수 없게 되었고, 교회 교육의 취약함이 수면 위로 떠오르게 되었습니다.

그런데 이단들을 생각해보세요. 길거리에 나가거나, 코로나 전만 하더라도 집집마다 찾아다니면서 자신들이 갖고 있는 성경 해석을 이야기하고자 합니다. 그것이 그릇된 성경 해석일지언정 자신이 갖고 있는 소망을 누군가에게 직접적으로 전달하려고 나서는 태도는, 오늘날 지역 교회에서 찾아보기 어려운 것입니다.

교리나 개념이 아니라 이야기로서 성경을 파악하는 일이 중요합니다. 이것은 스데반의 방식이자 바울의 방식이며 초대교회 교부였던 테르툴리아누스가 "신앙의 규범"이라 부른 것이기도 합니다. 창조부터 예수까지, 그리고 예수를 지나 우리와 우주 전체의 전망에 관하여 거대한 이야기로 파악하는 것 말입니다.

Q3. 그럼 어디에서부터 성경 전체 이야기를 파악하기 위해 성도들이 무엇부터 시작할 수 있을까요?

윤 : 단연 토라 이야기입니다. 토라(Torah)라는 말은 성경의 첫 다섯 권의 책, 창세기, 출애굽기, 레위기, 민수기, 신명기를 일컫는 히브리어 단어입니다. 즉 모세가 기록했다고 알려진 다섯 권을 ′토라′라고 부르고 ′가르침′이라는 의미를 갖습니다. 또한 ′율법′이라고도 번역됩니다. 예컨대 신약성경의 이런 본문들이 토라를 직접적으로 언급하고 있습니다.

마태복음 5:17
내가 **율법**이나 선지자나 폐하러 온 줄로 생각지 말라
폐하러 온 것이 아니요 완전케 하려 함이로라

누가복음 16:17
그러나 **율법**의 한 획이 떨어짐보다 천지의 없어짐이 쉬우리라

로마서 10:4
그리스도는 모든 믿는 자에게 의를 이루기 위하여
율법의 마침이 되시니라

성경을 본다는 것은 인류의 역사, 거대한 이야기를 다루는 일이고, 역사 한 가운데 서 있는 한 사람을 알고자 함입니다. 그 사람이, 오늘날 우리 자신이 누구인지 알게 하는 거울이 되기 때문입니다. 그런데 예수를 안다는 것은 토라 없이는 불가능합니다. 오히려 토라가 예수를 바르게 이해하는 관점을 제공한다고 해도 과언이 아닙니다. 예수는 토라를 완전하게 하려고 오셨고, 토라의 한 획도 결코 떨어지지 않을 것이라 말씀하셨으며, 바울은 그이를 가리켜 "토라의 결말(로마서 10:14)"이라 말하고 있습니다. 그러니 토라를 이해한다는 것은 예수를 이해하기 위한 첫걸음이라 할 수 있습니다.

그럼에도 성경을 공부하시려는 분들이 토라가 어렵다고 해서, 신약의 마태복음부터 시작하는 경우를 볼 수 있습니다. 이것은 큰 실수입니다. 마태복음 자체가 토라가 잔뜩 인용된 그야말로 토라의 향기가 물씬 나는 책인데, 토라에 대한 이해 없이 신약부터 공부하려는 것은 영어를 모르는 사람이 사전 없이 영어책을 스스로 읽겠다고 덤비는 것과 다르지 않습니다.

Q4. 토라라는 말 자체가 낯설기도 한데요. 그러니까 율법에 대한 이해가 성경 이해의 시작이란 말씀이시지요?

윤 : 네, 그렇습니다. 율법, 즉 창세기부터 신명기까지는 성경의 기본 이야기이고, 성경 전체를 어떻게 읽을지에 대한 관점을 제시하기 때문입니다. 따라서 이 토라 이야기를 모르고 성경을 읽는 것은, 알파벳을 모르고 영어책을 편 것과 같고, 또 토라 이야기와 무관하게 신약부터 성경을 보는 것은 재미있는 영화를 중간부터 보면서 그 의미를 파악하지 못하는 것과 같습니다. 그러므로 토라 이야기부터 시작해야 합니다.

그런데 아마도 교회에서 흔하게 듣는 '율법'이라는 말을 '율법주의'라는 표현과 함께 쓰이는 듯 합니다. 그리고 이때 율법주의란 하나님의 법규정들을 잘 지켜서 구원을 얻으려는 입장을 일컫는 듯 합니다. 교회에서 뭔가 일을 열심히 하는 사람에게 '율법주의에 빠지면 안돼' 라고 말할 때, 율법주의는 구원을 자신의 노동의 보상으로 바라는 것을 의미합니다. 그러나 율법에 관한 이러한 이해는 율법과 무관합니다. 왜냐하면 로마 카톨릭의 공로주의와 싸우던 루터는 율법을 그렇게 이해했을지 몰라도, 유대인들에게 율법은 구원을 얻기 위한 공덕 쌓기와는 무관했기 때문입니다. 율법은 창세기부터 신명기까지의 유대인들의 오래 된 이야기를 가리킵니다. 그리고 이 이야기 안에서 유대인은 자신들의 정체성과 삶을 발견합니다. 이것을 복을 얻고자 지키려는 목록으로 여기는 것은 율법에 관한 큰 오해입니다.

오 : 그런데 율법에는 ′법′이란 단어가 들어가서 뭔가 지켜야 하는 법처럼 느껴지기도 합니다.

이 율법은 유대인의 율법이기에, 유대인의 입장에서 율법을 이해해야 합니다. 즉 ′법′의 관점이 아니라 유대인들이 자신이 누구인지를 발견했던 ′정체성′의 측면에서 읽어볼 필요가 있었습니다. 그리고 성경의 첫 다섯 권의 책을 유대인의 관점으로 읽어보기 시작한 것은 근래의 일입니다.

신약 교회는 처음 출범했을 때부터 유대인들의 박해를 받아 왔습니다. 그리고 당시에도 이단들이 출현했습니다. 그리고 이 이단들은 희랍 철학을 무기로 기독교의 진리를 왜곡시켰습니다. 그러다보니 성경을 유대인의 입장이 아니라 희랍 철학의 관점으로 보는 것은 교회의 모습은 아주 초기부터 있었던 일입니다. 초대 교회는 유대인들과 거리를 두고, 희랍 철학과 로마의 단어들을 창안하면서 교회를 지켜왔고, 이런 과정 속에서 유대인의 이야기는 빠르게 잊혀졌던 것이지요.

이후 중세 천 년도 상황은 달라지지 않았습니다. 유대인이 기록한 유대인의 표현방식으로 기록된 성경을, 유대인의 입장이 아니라 아리스토텔레스의 입장으로 이해하고자 했습니다. 이 중세 카톨릭에 반발해서 나온 것이 종교개혁입니다. 그리고 종교개혁은 여러 모로 배울 점이 많지만, 그럼에도 이 미완의 개혁도 여전히 반유대주의적인 성향을 가지고 있었습니다. 루터도 깔뱅 마저도 유대인들에 대한 반감을 가지고, 그들을 자신들의 도시에서 추방하기도 했습니다.

깔뱅은 율법을 도덕법, 제의법, 시민법으로 분류해서 가르쳤습니다. 아마 이렇게들 알고 계신 분들이 많을 거에요. 그러나 어느 유대인도 율법을 저렇게 세 가지로 분류하지 않았을 것입니다. 저것은 깔뱅이 이해의 편의를 위해 나눈 것이지 유대인의 방식이 아니지요. 유대인에게 율법은 즉, 토라는 항목별로 분류되는 법이라기 보다는 창세기부터 신명기까지에 이르는 자신들의 이야기입니다. 그리고 그 이야기가 어떻게 이뤄질 것인지에 대한 내용이 여호수아부터 이어지는 성경 스토리입니다. 여기에서 문제는 법만 남고, 이야기가 사라졌다는 것입니다. 토라는 간단히 요약하면 땅을 잃어버린 아담의 후손들이 다시 땅을 되찾는 이야기입니다. 그리고 그 중심에는 언약이 놓여있습니다. 마치 연속극을 보듯, 유대인의 입장에서 모세의 입장에서 창세기부터 신명기까지의 전체 스토리를 파악하는 것으로, 성경 전체 이야기를 시작할 수 있습니다. 딱딱한 법에 관한 학문이 아니라, 옛날 이야기를 상상하며 읽는 방법으로도 우리는 진리의 풍성함을 누릴 수 있습니다. 제가 이번에 하려는 시리즈는 토라를 읽어가며, 그간 우리가 잘못 알고 있었던 부분들을 밝히고 적절한 방식의 읽기를 제시하는 일입니다. 그리고 이 일이 사이비 이단 문제와 밀접하게 관련 되어 있다는 것을 증명하고자 합니다.

Q5. 이 토라를 이해하는 것이 성경 전체를 제대로 이해하는 시작이라는 말씀이라는 것에는 동의가 됩니다. 그런데 토라를 이해하는 것이 이단 문제와도 연관이 되나요?

　네, 맞습니다. 성경에 대한 바른 이해는 이 토라 이야기에서부터 첫단추를 끼워야 합니다. 이걸 제대로 끼우기까지 너무 오래 걸렸지만 말입니다. 교회가 시작된 이후 교회는 반유대주의의 몸살을 앓고 있었고, 이것은 2차 세계 대전이 벌어지기까지 계속 되었습니다. 반유대주의는 신학에도 영향을 미쳐서, 유대인의 책인 토라를 유대인의 관점이 아닌 미국과 유럽인의 관점으로 읽으려고 시도해왔습니다. 그러나 나치에 의해 600만명의 유대인들이 독가스실에서 비참하게 죽임당했을 때, 유대인들에 대한 전세계적인 동정 여론이 있었고, 성경 연구에도 변화가 생겼습니다. 유대인의 방식으로 성경을 연구해야 한다는 새로운 움직임이 있었던 것입니다. 그리고 이 새로운 학문적 바람은 신약성경을 읽기 위해서는 당시 유대인들이 호흡처럼 흡입했던 구약성경의 문맥과 예수 당시 유대인들에 관한 연구로 돌아가야 한다는 중요한 교훈을 남겼습니다.

이 과정에서 교회가 그간 잘못 읽었던 성경의 내용들이 이단들이 먹고 몸을 불리는 사상적 먹이가 되었습니다. 앞으로의 강의들은 모두 이 점을 알리고자 구성한 것들입니다. 예컨대 '율법'에 관해서 교회에서 흔하게 들을 수 있었던 해석은, '이미 지나간 것', '성경 해석에서 불필요한 것', '더 이상 얽메이지 말아야 하는 것' 이었습니다. 그리고 **율법에 대한 이러한 입장은 이단들도 공유하고 있습니다.** 물론 율법은 더 이상 우리에게 구속력이 없지만, 그럼에도 성경을 이해하는 입장에서 율법은 절대적으로 필요합니다. 왜냐하면 그것은 다시 말씀드리지만 법규정이 아니라, 유대인이 자신의 정체성을 발견하는 이야기이기 때문입니다. 따라서 그 이야기 없이는 유대인들이 기록한 고대 문헌을 이해할 수 없습니다.

교회가 토라로 돌아가 성경을 바르게 이해하려고 할 때, 이것은 이단적 성경 해석에 대한 적절한 반박이 됩니다. 저는 이번 시리즈에서 신천지의 교육 내용 중 '복음방' 단계에서 다뤄지는 내용을 충실히 다루고자 합니다. 왜냐하면 신천지 복음방에서 다루는 내용은 토라에 대한 왜곡 그 자체이기 때문입니다. 신천지 포섭 첫 단계에서부터 토라를 왜곡해야만 하는 것은, 그래야만 그릇된 교리 체계 전체를 소개할 수 있기 때문입니다. 그러나 토라에 별 관심이 없었던 시민들이 복음방 내용을 들으면 제대로 분별할 수 없이 그저 고개를 끄덕이다가 다음 포섭 단계로 넘어가게 됩니다. 자세한 내용은 본문에서 다루겠지만, 이미 포교의 초입인 복음방 단계에서 이미 신천지 교리의 핵심들이 포진해있기 때문입니다. 그리고 더욱 유감스러운 것은 신천지가 토라를 왜곡했던 내용들이, 사실은 그간 한국 교회가 토라에 대해 갖고 있던 통념을 확대적용하고 있다는 점입니다. 예컨대 '하나님이 이삭을 바치라고 했던 것처럼 하나님이 시키면 어쩔 수 없다'는 식의 창세기 해석이나, '요셉처럼 성공한 사람이 되어야 한다'는 식의 기도는 신천지만의 것은 아닐 것입니다.

희망적인 사실은 오늘날 우리는 새로운 걸음을 내딛을 수 있게 되었다는 것입니다. 예수님 당시의 유대교, 즉 제 2성전기 유대교에 관한 다양한 연구 결과들을 확인할 수 있게 되었고,

루터와 깔뱅보다 토라에 관해 더 잘 알 수 있게 되었습니다. 그러니 다음과 같이 단언할 수 있습니다. 이단 문제의 해법은 늘 우리 곁에 있었다고 말입니다. 이제 펼쳐서 읽어보는 일만 남았습니다.

예언약
(시내산언약)

광야   가

1장.
우리들의 일그러진 하나님

*2021년 8월 22일 분당에 있는 할렐루야 교회에서 설교한 내용입니다

탈무드 설명, 이야기와 해석

안녕하세요. 할렐루야 교회의 청년 여러분, 그리스도를 왕으로 섬기는 저와 여러분이 이렇게 함께 이야기할 수 있는 시간을 갖게 되어 하나님께, 또 교회에 감사드립니다. 거두절미하고 오늘 저희는 이단 문제에 관해서 이야기하고자 합니다. 그리고 이 이단 문제는 해석의 문제와 뗄레야 뗄 수 없습니다. 많은 신천지 경험자들이 이렇게 말합니다. "왜 기독교는 교단별로 해석이 제각각인가요?", 그런데 이런 말은 교인들에게서도

심심치 않게 듣던 말입니다. "성경 해석은 목사님마다 다르고, 코에 걸면 코걸이, 귀에 걸면 귀걸이 아닌가요?" 이렇듯 우리가 이단을 다루고자 한다면, 해석에 관해 이야기해야 하고, 해석이란 결국 "진리란 무엇인가?" 라는 고상한 질문에서 출발하지 않으면 안됩니다. 그러니 이단을 마주한다는 것은 대단히 수준 높은 고품격의 일이라 하겠습니다.

여러분 진리란 무엇입니까? 빌라도 역시 같은 질문을 예수께 던졌고, 예수는 침묵으로 일관하셨습니다. 우리는 진리에 관해 장황하게 설명할 줄은 몰라도, 그것이 단 하나라는 사실을 쉽게 받아들입니다. 그래서 자신이 가진 생각이 진리라고 확신하는 사람은, 그것이 유일한 진리이며, 타인이 말하는 것에 관해서 거짓이라고도 쉽게 단정 지을 수 있게 됩니다. 그리고 이 진리라는 이름으로 진영이 생기고, 진리의 이름으로 서로를 미워하는 것이 가능해집니다.

이야기를 둘러싼 다양한 해석들

    지금 여러분이 보고 계신 것은 유대인의 책인 〈탈무드〉라는 책입니다. 이 탈무드는 독특한 방식으로 구성이 되어있는데요. 가운데에는 미쉬나라고 부르는 성경 이야기가 놓여있습니다. 그리고 이 성경 이야기에 관한 다양한 랍비들의 해석들이 그 주위를 두르고 있어요. 그리고 그 해석들 중에는 서로 상이한 의견들도 있습니다. 그러나 같은 장에 배치가 됩니다. 즉 탈무드를 읽는 독자들은, 이 하나의 이야기에 관한 다양한 해석들을 접하게 됩니다. 그리고 스스로 생각하게 되지요. 이 이야기 안에 있는 쟁점이 어떤 식으로 뻗어나갈 수 있는지에 관해 함께 고민하게 됩니다.

그리고 이러한 구성은 우리에게 중요한 사실을 일깨워줍니다. 가운데 놓인 이야기는 절대적이지만, 그 이야기에 관한 '절대 해석' 같은 건 없다는 사실을 넌지시 보여주고 있어요. 이야기는 불변하는 유일한 것이지만, 그것에 대한 해석은 달라질 수 있고 나아질 수 있습니다. 해석이란 하나의 이야기에 관한 설명이기 때문입니다. 이것은 마치 우리가 유튜브에서 쉽게 볼 수 있는 영화 리뷰 채널들과도 같습니다. 하나의 영화가 개봉하면, 그 영화가 보여주는 이야기 자체는 불변입니다. 그런데 그 영화 이야기에 관한 리뷰는 다양합니다. 그런데 그 리뷰들 중에 절대 리뷰 따위는 없습니다. 다만 그 리뷰들은 좋은 리뷰가 있고, 상대적으로 나쁜 리뷰가 있을 뿐입니다. 그럼 좋은 리뷰와 나쁜 리뷰를 구분하는 기준은 어디에 있을까요? 그 기준이란 간단합니다. 이 가운데 놓여있는 이 이야기를 충실히 반영했는가, 그렇지 않은가가 기준입니다.

21세기 대한민국을 사는 우리는, 이 사회에 다양한 이단들이 난립해있는 상황을 마주하고 있습니다. 그런데 이단에 몸담고 있는 사람은 자신이 갖고 있는 해석이 진리라고 생각합니다. 그런데 그 이단을 경계하는 한국 교회도 우리가 진리라고 주장합니다. 그런데 이 진리 논쟁에 빠져있는 것이 있습니다. 그것은 서로의 해석이 이야기에 충실한지 그렇지 않은지 판단할 수 있는 기회와 능력이 양쪽 모두에게 없습니다. 그러면서도 양쪽 모두 가운데에는 같은 이야기를 놓았습니다. 바로 성경 이야기입니다. 그런데 서로의 해석이 절대 해석이라고 착각할 때, 상대의 말을 들어볼 생각조차 할 수 없게 되고, 사실은 자신의 해석을 절대적인 해석이라 착각하는 이면에는, 자신의 해석에 관해 정작 자신이 잘 모른다는 무지를 은폐하려는 의도가 깔려있습니다.

사이비 이단의 해석이 이 하나의 이야기에 충실한지 그렇지 않은지를 분별하는 힘이 기독교인의 지성입니다. 그리고 현재 교회가 이러한 지성을 사용하고 있지 않다는 사실이 자명합니다. 왜냐하면 만일 우리가 이 지성을 사용했더라면, 그래서 하나의 이야기를 놓고 우리의 해석과 상대의 해석을 견주어 비교했다면, 사이비 이단의 해석은 형체도 없이 빈약한 것임에 드러났을 것이고, 교회가 가진 이야기의 해석이 탁월하다는 사실은 자명하게 드러났을 것이기 때문입니다. 그런데 사이비 이단 문제가 이렇게 커졌다는 것은, 우리가 이러한 지성을 사용하지 않았다는 것을 보여줄 뿐입니다. 노파심에 말씀드리면, 이것은 신학을 전공했느냐, 그렇지 않느냐의 문제가 아닙니다. 그저 하나의 이야기에 교회가 충실했는지의 문제입니다.

신천지의 하나님

신천지는 '신학원', '센터'라고 부르는 신천지 교리 교육 기관을 운영해왔습니다. 그리고 코로나 상황인 지금은 온라인으로 운영 중입니다. 이만희씨를 제외한 **'모든'** 신천지 교인은 이 신천지 교육 기관에서 1년 가까이 일주일에 최소 세 번 이상 신천지 교리 내용을 수업 받은 사람들입니다. 그리고 이 센터에서 본격적인 신천지 교리를 배우기 전에 거치는 과정이 '복음방'이라 부르는 개인 교습 단계 입니다. 저는 오늘 이 복음방 교육 내용에 관해 이야기 하고자 하는데, 그간 관심을 갖지 않았던 이 복음방에서의 교육내용이 치명적이라는 사실을 발견했기 때문입니다. 이 복음방 단계에서는 구약에 관한 이야기를 대강 배우게 되는데, 사실 가볍게 배우는 것 같지만, 그래서 기독교인 조차 그 복음방 교육 내용이 무엇이 문제인지 알아차

리지 못하지만, 사실 신천지 교리의 핵심이 그 기저에 깔려있었습니다.

노방 (길거리 만남)	인터뷰 세미나	상담	복음방	센터

아담/노아
아브라함
야곱
요셉
모세
여호수아
성경개론

제가 지금 여러분들께 보여드리는 것은, 이 신천지 복음방에서 배우는 내용, 즉 성경에 관한 신천지의 해석과 성경 그 자체의 비교입니다. 그리고 이 신천지의 해석이 이 성경 이야기에 충실하지 않은, 대단히 질이 나쁜 해석이라는 사실을 보여드리고자 합니다. 그리고 이 과정의 결론은 단순히 저들이 나쁘다가 아니라, 우리의 이야기가 무엇인지 새삼 재발견하고, 이 이야기가 저들에게 필요하다는 사실을 깨닫는데 있습니다.

1) 잘못하면 버리는 하나님?

이 신천지 복음방에서 처음 접하는 내용은 아담에 관한 것입니다. 신천지는 **아담이 인류 최초의 사람이 아니라, 하나님께서 마음에 들어서 선택하셨던 첫 사람이라는 점을 강조**합니다. 아담 이전에 사람들이 있었느냐, 없었느냐의 문제는 기독교 안에서도 여러 의견이 있었습니다. 아담 이전에 다수의 사람들이 있었다고 말하는 기독교 진영 학자 중에는 존 H. 월튼이라는 사람도 있습니다. 그러나 이런 내용을 한국 교회의 사람들은 들어본 적이 없었을 것이기 때문에, **"아담이 인류 최초의 사람이었다면, 가인과 결혼한 사람은 대체 누구이겠느냐?"는 신천지인의 물음에 아무런 답변을 하지 못하고, 오히려 호기심을 갖게 되는 것이지요.** 유대문헌인 <요벨서>를 보면, 아담과 하와 사이에서 나온 다른 자녀들 이야기도 나옵니다만, 물론 한국 교회의 성도들은 자신이 속한 교회 목회자의 해석 외에는 본문에 대한 다양한 자료들을 접해본 경험이 대부분 전무하다는 취약점이 있습니다.

**"아담이 인류 최초의 사람이 아니라,
하나님께서 마음에 들어서 선택하셨던 첫 사람"**

**"아담이 인류 최초의 사람이었다면,
가인과 결혼한 사람은 대체 누구?"**

어찌되었든 신천지 복음방에서는 아담이 인류 최로의 사람이 아니라는 점을 강조합니다. 그 이유는 바로 다음의 교육 내용 때문인데, 신천지에서는 아담이 선악을 알게 하는 나무의 열매를 먹었을 때, 즉 하나님과의 언약을 깨뜨렸을 때 하나님이 떠나실 수 밖에 없다고 가르치기 때문입니다. 그리고 아담을 떠난 하나님이 다른 지도자를 두루 찾다가, 다시 마음에 들어서 선택합니다. 그 사람이 노아입니다. 그리고 노아가 범죄했을 때 다시 하나님은 죄인과 함께 할 수 없어서 노아를 떠나십니다. 그리고 다시 새로운 지도자를 두루 찾다가 아브라함을 선택합니다. 그리고 지도자가 언약을 깨뜨리고, 하나님은 다시 새로운 지도자를 찾는 과정이 반복되다가 그 끝에, 하나님의 뜻따라 살지 않는 한국 교회의 목회자들을 하나님이 떠나시고, 마침내 두루 찾다가 발견한 지도자로서 이만희씨가 있는 것입니다. **6개월에 걸친 신천지 센터 교육 과정은 바로 이 결론으로 가는 과정**이고, 이미 복음방에서부터 포석이 깔린 것입니다. 다음 내용이 말입니다.

-하나님은 두루 지도자를 찾으신다.
-그 지도자가 언약을 깨뜨리면 하나님은 이 땅을 떠나신다.
-하나님이 떠나신 이전 세계는 멸망한다.

신천지 복음방 교육 내용

- 선택한 지도자가 언약을 깨뜨리면 하나님은 이 땅을 떠나신다
- 하나님은 새로운 지도자를 찾고 이 땅에 새로운 세계를 지으신다
- 하나님이 떠나신 이전 세계는 멸망한다

그런데 여러분 하나님은 정말 저러신 분인가요? 우리의 감상이나 내 맘 속 느낌이 아니라, 우리는 저 해석이 우리가 가진 이야기에 충실한지 그렇지 않은지를 확인해야 합니다. 그리고 이것은 우리를 창세기 3장에서 11장으로 이끕니다.

창세기 3장에서 아담이 선악을 알게 하는 나무의 열매를 먹었습니다. 그렇다면 그 일 이후, 하나님은 아담을 떠나셨을까요? 아담을 떠나 다른 지도자를 물색하셨을까요? 그렇지 않습니다. 오히려 하나님은 에덴을 떠나는 아담과 하와에게 무화과나무 잎으로 만든 옷이 아니라, 튼튼한 가죽옷을 입혀주시고, 이것을 위해서 하나님은 자신이 창조한 동물을 처음으로 희생

시키셔야 했습니다. 잘못해서 고생길 떠나는 아담과 하와에게 가죽옷을 입혀주시는 하나님이십니다.

그리고 **4장으로 넘어가면,** 하와는 가인을 낳고 하나님을 찬양합니다. 그리고 하나님은 그 아담 자식들의 제사에 반응해주십니다. 아벨의 제사는 받아주시고, 가인의 경우 하나님과 대화하기까지 합니다. 하나님이 아담 가족을 떠나셨다고 보기 어려운 내용이지요. 그리고 가인이 살인한 이후 두려워하는 그에게, 보복 살인을 하지 못하도록 표를 주어 그를 지켜주시기까지 합니다. 범죄를 저질렀음에도 불구하고, 그 사람의 생명을 지키시는 모습은 가죽옷 사건과 동일합니다.

그리고 **결정적인 것은 창세기 5장의 족보입니다.** 족보는 창세기 3장의 범죄 이후에도, 하나님이 생육하고 번성하라 하신 그 복이 아담의 후손들에게 이뤄지고 있음을 보여주고 있기 때문입니다. 그러니 하나님이 아담 범죄 이후 사람을 떠나셨다고 보기 어렵습니다. 여전히 그들은 생육하고 번성하며 하나님의 복을 누리고 있습니다. 그리고 족보 중간에 보면 에녹이 있네요. 에녹은 하나님과 **이 땅에서** 동행했던 사람입니다. 그러나 하나님은 에녹을 지도자로 삼지 않으셨습니다. 에녹은 신천지 교리의 맹점입니다.

이번에는 6장으로 가봅시다. 아담부터 노아 사이에 있던 사람들은 모두 오래 살던 사람들이었습니다. 하나님이 노아 시절 사람들을 떠나겠다고 말씀하신 것이 창세기 6:3에 나옵니다. 신천지에서는 이 구절을 보고 하나님이 떠나셨다는 내용을 다시 한 번 강조합니다. 그런데 이 구절을 잘 보면,

창세기 6:3, 새번역
주님께서 말씀하셨다.
"생명을 주는 나의 숨결이 사람 속에 영원히 머물지는 않을 것이다. 사람은 살과 피를 지닌 육체요, 그들의 날은 백이십 년이다."

이 말은 생명을 주는 하나님의 숨결이 사람 속에 120년은 머물기 때문에, 사람이 120년을 살 수 있음을 확인할 수 있습니다. 즉 이것은 하나님이 범죄하는 이들을 나몰라라 버려두고 떠나셨다는 것이 아니라, 타락하고 범죄한 이들의 시간이 120년으로 제한하셨다는 말인 것입니다. 얼마나 극악 무도 하게 무법천지로 살았다면 하나님이 120년으로 제한을 두셨겠어

요? 이러한 제한은 하나님이 어떤 분이신지를 생각하게 합니다. 하나님은 생명을 주관하시기 때문에 하나님의 뜻 없이는 범죄한 이들의 120년도 불가능한 것입니다. 이들은 타락하더라도 120년만 타락할 수 있고, 죽음 이후에 모든 사람이 부활할 때, 이 노아 시대의 사람들도 부활하게 될 것입니다. 즉 하나님은 죄를 지었다 하더라도, 그 사람을 떠나고 폐기해 버리는 하나님이 아니라는 사실을 성경 전체를 조망할 때 확인할 수 있습니다.

창세기 10장에는 이 범죄한 이들이 여러 민족들로 갈라져 번성하게 되었다는 족보를 보여줍니다.

그리고 결정적으로 창세기 11장 바벨탑 사건에서는, 하나님께 반역하는 이 범죄한 이들을 떠나 계시기는 커녕 그들을 보기 위해 내려오십니다(창세기 11:5). 그리고 노아와 모든 피조물에게 언약하신대로 그들은 물로 처벌 받지 않았습니다. 언어가 섞이는 이상한 방식으로 이들은 즉결심판이 아니라 또 다른 기회를 얻게 됩니다.

이상의 내용들, 즉 창세기 3장부터 11장까지 그저 이야기에 충실하게 내용을 따라온 결과, 하나님은 범죄한 사람들을 떠나고 멸망시키는 분이 아니심을 확인합니다. 신천지의 결정적인 성경 해석 내용 하나가, 성경 이야기와 무관하다는 사실을 성경 이야기를 통해 확인하는 순간입니다. 만일 누군가가 '사람이 죄를 지으면 하나님은 이 땅을 떠나실 수 밖에 없었다'라고 말한다면, 그의 하나님은 성경 이야기와 무관한 하나님, 하나님답지 않은 하나님입니다. 그리고 저 말은 그저 인간적인 생각으로 하나님을 얕잡아보는 말이 됩니다. 자기 자녀가 죄를 지었다고 그 자녀를 버리는 부모가 있다면 그 부모는 욕을 먹을겁니다. 그런데 하나님을 인간에게 배신당할 때마다 이를 악물고 그들을 떠나시는 분으로 생각하는 것은, 하나님을 못된 부모 취급하는 것과 다름 없습니다.

신천지 교인들이 예레미야 31장을 자신들의 대표 본문이라 생각하지만, 정작 읽어본 적 없는 구절이

예레미야 31:37
나 주가 말한다. 누가 위로 하늘을 다 재고,
아래로 땅의 기초를 다 측정할 수 있다면,
나도 이스라엘의 모든 자손이 한 온갖 일들 때문에
그들을 버릴 수 있을 것이다.
나 주의 말이다.

심지어 바울도 이렇게 말합니다.

로마서 11:1,2

그러면 내가 묻습니다.

하나님께서 자기 백성을 버리신 것은 아닙니까?

그럴 수 없습니다. 나도 이스라엘 사람이요,

아브라함의 후손이요, 베냐민 지파에 속한 사람입니다.

하나님께서는 미리 아신 자기 백성을 버리지 않으셨습니다.

2) 내용과 이유 없이 따르라고만 하는 신?

그러나 신천지의 교육 내용은 아담에서 노아로, 그리고 노아에서 아브라함으로 건너 뜁니다. 그리고 그들이 성경 이야기를 건너 뛸 때, 하나님도 건너 뛴다고 생각합니다. 아담이 범죄하니 아담을 떠나고 아담 세계를 멸망시키며, 노아가 범죄하니 노아를 떠나고 노아 세계를 멸망시며, 이제 아브라함을 찾아오신 것입니다. 그리고 아브라함과 언약을 하십니다. 이 언약은 앞에서 우리가 보았던 타락의 문제를 해결하기 위한 하나님의 방법이었고, 성경 전체에서 중요한 사건을 고르라면 손에 꼽을 만한 핵심적인 내용입니다. 창세기 12장부터 17장에 이르는 이야기에서 하나님께서 아브라함에게 약속하신 내용은 다음과 같습니다.

(1) 큰 민족이 되게 하고,

(2) 이름을 창대하게 하고

(3) 그 아브람이 곧 복이 되며

(4) 땅의 모든 족속이 이 아브람을 통해 복을 받게 될 것

(5) 네 몸에서 날 자가 상속자가 될 것

(6) 너의 자손은 하늘의 별처럼 다수가 될 것

(7) 너의 자손이 이방의 객이 되어 그들을 섬기며, 고생하는 기간이 400년이 될 것이고, 고생 후 재물을 끌고 나오게 될 것

(8) 그리고 틀림없이 땅을 얻게 될 것

(9) 너는 여러 민족의 아버지가 될 것

(10) 너는 심히 번성할 것

(11) 너에게서 민족들과 왕들이 나올 것

(12) 나는 너와 네 후손의 하나님이 될 것

(13) 너희가 지금 거주하고 있는 가나안 땅이

영원한 소유(기업)가 될 것

(14) 언약 대상은 너뿐만 아니라 너의 대대 후손들도 포함

통신사를 가입하던지, 보험을 가입하던지, 하물며 인터넷 싸이트 하나 가입하더라도 약관이 중요합니다. 그 약관을 꼼꼼히 확인하는 것은, 그 약관대로 이행되어야만 하기 때문입니다. 하물며 하나님이 아브라함에게 약관을 제시하셨습니다. 인류의 타락이 극심해지는 창세기 3~11장 이야기의 끝에 하나님이 아브라함에게 찾아와 약속하신 것이므로, 특별히 중요한 내용입니다.

그런데 복음방에서는 단 하나의 내용만을 말할 뿐입니다. "이방의 객이 되었다가 400년만에 돌아온다." 이것은 언약 내용도 아니고, 언약이 이뤄지는 과정 중에 그런 일이 있을 것이라 말씀하신 것임에도 불구하고, 신천지 교인들은 아브라함 언약 내용 중에 바로 이 내용만 기억하고 있습니다. 그리고 이렇게 말합니다. "아브라함 언약은 출애굽 때 다 이뤄졌다"고 말입니다. 즉 하나님께서 자손을 주고, 땅을 주겠다고 아브라함에게 한 약속이 이스라엘 백성이 가나안땅을 차지한 것으로 종결되었다는 것입니다. 그리고 이렇듯 하나님은 언약을 반드시 지키시니까, 언약에 따라야 한다고 교육합니다. 즉 언약 내용은 모두 가르치지 않으면서, 언약에 따라야 한다는 당위만 남긴 것입니다.

· 그러나 가나안 땅을 차지했다고 해서 아브라함 자신이 죽기 직전에 땅을 상속 받은 것과는 아무런 관련이 없습니다. 심지어 부인이 죽었을 때 매장지가 없어서 헷 족속에게 땅을 얻어야 했습니다.

· 그리고 자손에 관해서도 이스라엘이 가나안 땅을 차지했을 때, 그 자손이 셀 수 없는 숫자로, 하늘의 별과 같이, 바다의 모래 같이 많아진 것도 아닙니다. 민수기에 보면 싸울 수 있는 성인 남성이 60만 3천 550명으로 머릿수가 계수되었고 이 정도는 숫자를 못 셀 정도는 아니지요.

· 그리고 아브라함을 통해서 많은 민족과 많은 왕들이 나온다고 약속하셨는데, 이것은 가나안 땅을 차지했을 때는 이뤄질 수 없는 약속 내용이었습니다.

바울은 이집트에서 종살이 하다가 400년만에 출애굽한 사건을 아브라함 언약의 성취로 오해해선 안된다고 갈라디아서에 못박아 써두기까지 했습니다. 그럼에도 이야기를 꼼꼼하게 읽어본 적이 없기 때문에, 신천지 교인들은 성경 이야기를 믿는다 말하면서도 성경 이야기에 충실하지 않은 그릇된 해석을 절대 진리로 수용하고 있습니다.

그리고 아브라함 언약이 예수를 통해서 성취되기 시작했다는 내용은 지금까지도 모르고 있습니다. 이것을 모르고 있기 때문에 신천지에 남아있을 수 있습니다.

3) 무리한 것을 요구하는 신?

가장 심각한 것은 신천지 교인들이 갖는 하나님의 오해입니다. 신천지 경험자들과 대화할 때, 제가 꼭 묻는 것은 하나님이 아브라함에게 이삭을 바치는 사건에 관한 개인의 평가입니다. 그런데 돌아오는 답변은 '하나님이라면 그러실 수 있지요' 입니다. 이 말을 듣고, '만일 직장 상사가 자신의 자녀를 불에 바치라고 요구한다면 어떻게 하시겠어요?'로 질문을 수정하면 대번에 입장이 달라집니다.

고대 근동에는 몰렉이라는 신이 있었습니다. 몰렉은 '왕'이란 뜻인데요. (아래 그림에서 보듯이)사람의 몸에 황소머리, 두 팔을 벌리고 있는 형상을 하고 있습니다. 이 몰렉 신에게 제사를 드릴 때 보통 아이들을 불태워 바치는 인신 제사가 행해졌습니다. 어려움을 당한 부모들이 가장 귀한 자식을 희생제물로 바침으로 신의 노여움을 풀 수 있을 것이라고 여긴데서 이러한 끔찍한 일들이 벌어졌습니다. 금속으로 만든 이 형상 안에 불을 지펴서 붉게 달아오르면 팔 위에 올려놓은 아이는 굴러 아래의 불붙는 구덩이에 빠지도록 되어 있습니다. 희생제물의 울음소리가 들리지 않게 하기 위해서 피리를 불고 북을 쳤습니다. 그리고 모세의 기록인 토라에는 이 몰렉에 대한 경고가 줄곧 등장합니다.

레위기 18:21, 새번역
너는 네 자식들을 몰렉에게 희생제물로 바치면 안 된다.
그렇게 하는 것은 네 하나님의 이름을 더럽게 하는 일이다.
나는 주다.

신명기 12:31, 새번역
당신들은 주 당신들의 하나님을 섬길 때에
이방 민족들이 그들의 신들을 섬기는 방식으로 섬겨서는 안 됩니다.
주님께서는 그들이 신들을 섬길 때에 사용하는 모든 의식을
싫어하시고 역겨워하십니다. 그들은 자기들의 아들이나 딸마저도
불에 살라 신에게 바칩니다.

창세기는 모세가 기록한 책입니다. 그래서 창세기부터 시작된 이야기는 신명기에 가서야 일단락이 납니다. 이 창세기부터 신명기까지를 가리켜 토라라고 부릅니다. 그리고 영화나 책이든 어떤 이야기든 처음부터 시작해서 마지막까지 내용을 파악한 이후에야 그것에 관해 이야기를 하는 것이 합당합니다. 영화를 5분 보고 그 영화에 관한 리뷰를 쓸 수는 없을테니 말입니다. 즉 토라를 처음부터 끝까지 읽어봤다면, 몰렉을 놓칠 수 없고, 하나님이 자신의 아들을 불에 바치라는 얘기를 아브라함이 들었을 때, 아브라함 시절에는 그것이 낯선 이야기가 아니었음을 알 수 있었을 것입니다.

3)
하나님은 자신의 언약 성취
과도한 요구를 하시는 잔혹

신명기 12:31, 새번역
…주님께서는 이방인들이 신들을 섬길 때에 사용하는 모든 의식을 싫어하시고 **역겨워하십니다.**
그들은 자기들의 아들이나 딸마저도 불에 살라 신에게 바칩니다.

창세기 22:
"너의 아
모리아 땅
그를 번제물로 바쳐라."

창세기   출애굽기   레위기   민수기   신명기

성경의 첫 다섯 권은 **하나의 이야기**이고, 이것을 **"토라"** 라고 부릅니다.

게다가 아브라함은 우상숭배의 집안에서 자랐으니 더욱 고대 근동의 이방 신에 관해 잘 알았으리라 생각합니다. 따라서 하나님이 이삭을 불에 바치라고 하셨을 때, 그리고 그것을 멈추라고 하셨을 때, 하나님은 몰렉과 다른 신임을 선언 하신 것이고, 그 결과 아브라함의 자녀를 희생시키시는 분이 아니라, 자신의 희생 제물을 자신이 준비하실 것이라 말씀하신 것입니다. "여호와 이레"라는 말이 여기에 나오는데, 여호와께서 자신의 제물을 이 모리아라 부르는 산에서 준비하실 것이라는 말이 여호와 이레이고, 이 모리아 산은 예루살렘의 다른 이름입니다.

"여호와 이레"

창세기 22:2, 새번역
"너의 아들, 네가 사랑하는 외아들 이삭을 데리고 **모리아 땅으로 가거라. 내가 너에게 일러주는 산**에서 그를 번제물로 바쳐라."

창세기 22:14, 새번역
이런 일이 있었으므로, 아브라함이 그 곳 이름을 **"여호와 이레"**라고 하였다. 오늘날까지도 사람들은 **'주님의 산에서 준비될 것이다'**는 말을 한다.

즉 자신이 죽을 나무를 홀로 지고 모리아 산에 오르는 이삭의 그림은, 십자가를 지고 예루살렘에서 죽임 당하는 메시아 예수의 예고였던 것입니다. 즉 무리한 요구를 하는 신이 이 이야기의 결론으로 도출되면 안되는데, 신천지는 그리고 신천지를 비롯한 많은 이단들이 이 아브라함에게 이삭 바치라고 한 사건을 가리켜, "무리한 요구를 시킬 수 있는 신"이라 가르치고, 따라서 신이 함께 하는 교주는 하나님의 역사를 완성하기 위해 무리한 요구를 할 수 있다는, 성경 이야기와 별 상관없는 결론으로 엇나가게 되는 것입니다. 성경을 사용하면서도 성경에 충실하지 않은 해석으로 말입니다.

결론

  그럼 생각해봅시다. 이 신천지 복음방 교육을 통해서 배우게 되는 하나님 말입니다.

  죄를 짓는 인간을 버리고 그의 세계를 파멸시키는,
  배신당하고 또 배신당해서 매정해저버린 신,
  언약의 내용은 빠뜨리고,
  일부만 가져와 충성만을 요구하는 신,
  자신의 계획을 위해서는 인간에게 무리하고
  끔찍한 요구도 할 수 있는 신.

  신천지 경험자가 신천지를 탈퇴하더라도, 여전히 신에 대한 저러한 이미지, 상종하고 싶지 않은 인격의 이미지는 마음 깊은 곳에 그대로 남아있습니다. 이것이 탈퇴 직후에는 분노로,

이후에는 타인에 대한 의심으로, 그리고 신에 대한 포기로 드러납니다. 신천지 탈퇴자분과 함께 성경을 공부하고 있는데 그 분이 저에게 이렇게 말했습니다. '저 성경공부 모두 마무리되면, 제가 어떤 일을 해야하나요?' 제가 처음 이 질문을 받았을 때 너무 의아해서, '그렇지 않다'고 말했는데, 그 말로는 그 분의 마음이 안정되지 않았습니다. 나중에 이야기를 듣고보니, 성경을 배우고 나면 자신에게 무슨 일을 하라고 맡길까봐 너무 걱정이 되었다고 합니다. 그런데 이런 마음이 이 분만이 아니었습니다. 신천지 경험을 했던 사람들의 공통점이 바로 저 일그러진 하나님의 이미지인 것입니다.

죄를 짓는 인간을 버리고
그의 세계를 파멸시키는,
매번 배신만 당하는 무력하고 매정한 하나님

언약의 내용은 빠뜨리고,
일부만 가져와 충성만을
요구하는 하나님

자신의 계획을 위해서는
무리하고 이해할 수 없는 요구도
할 수 있는 하나님

하나님을 어떻게 생각하느냐가 한 사람의 정신 건강에 미치는 영향은 막대합니다. 내가 하나님을 어떻게 생각하느냐에 따라 그 하나님은 나라는 존재의 토대가 될 수도 있고, 나를 짓누르는 중압감이 되기도 합니다. '보이지 않지만 언제나 나와 함께 있다'는 말은 그분이 어떤 분이야에 따라서 따뜻한 이야기가 될 수도 있지만, 공포 소설이 될 수도 있기 때문입니다.

우리의 이웃들이 하나님에 관해 제대로 소개받고, 그들의 정신과 일상이 한 분 하나님에 의해 선하고 아름답게 되기를 바라는 것이 곧 교회의 소망이고 제사장 나라의 책무입니다. 이 하나의 이야기에 충실한 해석과 이것을 지역 사회에 알리는 책임은 교회에 있습니다. 그러나 어쩌면 우리가 앞에서 확인했던 신천지 복음방 교육 내용에서의 신에 관한 이미지는 한국 교회도 마찬가지였던 것 아닌지 돌아봐야 하지 않나요? 성경의 문맥과 무관한 그저 나의 감정에 따른 하나님을 그리고, 그분의 언약의 내용을 꼼꼼하게 파악하지 않은 채 믿는다고 말하며, 조직 운영을 위해서 내용없는 섬김과 충성을 요구하는 하나님에 관해 말해온 교회였다면 말입니다.

많은 이들이 교회를 경험했다가 후에 신천지 교인이 되었다는 것은, 교회가 한 분 하나님의 얼굴을 제대로 그려내는 일에 충분하지 않았음을 보여줍니다. 그리고 신천지 교인이 탈퇴했을 때 이들에게 하나님의 청명한 얼굴이 제대로 전달하는 책임이, 여전히 부족한 교회에게 주어져있다는 사실을 말씀드립니다. 그렇습니다. 신천지 문제의 앞 뒤로 교회가 있었습니다.

여러분, 하나님은 죄인을 떠나시기는 커녕 죄인에게 새로운 기회를 주시기 위해 십자가에 매달리셨습니다. 하나님은 타락한 세상에 대한 꼼꼼한 계획이 있으시고, 그 계획은 아브라함에게 하신 언약에서부터 파악할 수 있습니다. 하나님은 그 언약을 위해서 우리를 희생시키시는 분이 아니라, 오히려 자신이 희생하시는 하나님이십니다. 그분의 언약은 진실과 사랑으로만 성취되기 때문입니다.

**현장에서 강의했던 영상을
유튜브에서 보실 수 있습니다**

첫 번째 강의 이후

Q. 성경 본문을 대하는 탈무드의 방식에 관해 이야기 나눠보고,
오늘날 교회가 성경을 대하는 태도와 비교해봅시다.

Q. 그림을 보며 하나님께서 아브라함에게 찾아와 약속하시기 전까지의, 창세기
1~11장의 상황을 간략하게 요약해봅시다.

Q. 하나님은 아브라함에게 어떠한 약속을 하셨나요? 그리고 이 약속이 중요한 이
유를 이야기 해봅시다.

Q. 아브라함의 후손이 이스라엘이 되기까지의 과정을 이야기 해봅시다.

Q. 신명기는 어떠한 책인가요? 그리고 신명기 28~32장의 내용을 꼼꼼하게 정리해둡시다.

Q. 우리는 어떻게 하면 신의 이미지를 올바르게 이해할 수 있을까요? 이러한 이해는 우리의 신앙과 삶에 어떤 영향을 미칠까요?

2장.
그들이 하나님의 얼굴을
되찾을 수 있도록

*2021년 9월 12일 동대문구에 있는 동안교회에서 설교한 내용입니다

우리와 우리 이야기에 관한 헛소문

동안교회 성도 여러분 안녕하세요. 저는 윤재덕이라고 합니다. 오늘 제가 이 자리에 서게 된 것은 어떤 헛소문 때문입니다. 어떤 근거 없는 소문 하나가 우리가 살고 있는 대한민국에, 그리고 대한민국을 넘어 다른 나라에 까지도 퍼지고 있습니다. 이 헛소문이 우리와 상관이 없다면야 관심을 덜 가져도 되겠지만, 이 소문은 바로 우리 자신에 관한 헛소문, 그리고 우리가 가진 한 이야기에 관한 헛소문이기 때문에 우리는 이 일의 당사자입니다. 그러니 방관해서는 안될 일입니다. 이 헛소문은 우리 자신과 우리가 사랑하는 이야기를 온통 왜곡해 놓았습니다. 그 헛소문이란 다름 아닌 신천지라는 이단에 의해서 지금도 조직적으로 교육되고 있는 신천지의 성경 교육 내용입니다.

여러분은 만일 여러분에 관한 헛소문이 돌고 있다면 어떻게 대처하시겠습니까? 헛소문에 많이 시달려본 저의 경우, 다음이 마땅한 태도로 보입니다.

(1) 일단 그 헛소문의 내용이 무엇인지 파악부터 해야겠지요. 그저 관심을 끊는다거나, 또는 감정적으로 무작정 욕을 하는 대처는 문제 해결에 별로 도움이 되지 않습니다.

(2) 그 다음은 그 헛소문의 진실 여부를 파악하는 것이 순서입니다.

(3) 마지막으로, 적절한 방법으로 이것이 왜 헛소문인지를 사람들에게 알려야 합니다.

그러면 교회가 그간 이 신천지라는 헛소문에 그간 어떻게 대처 해왔을까요? 유감스럽게도 그간 교회는 신천지 교인과 접촉하면 마치 병이라도 걸릴 것 마냥 사회적 거리를 두는 것을 최선으로 여겨왔습니다. 교회 안에서 신천지 교인이 생겼다는 얘기가 나오면, 얼른 그 사람과 손절했다는 이야기를 종종 듣습니다. 그런데 사실 이것은 '나도 저 사람에 의해 신천지에 설득되면 어쩌나?' 하는 **두려움** 때문이었습니다. 그리고 이 두려움은 '내가 저 사람들을 마주한다면, 대체 뭘 말 할 수 있을까? 나는 성경에 관해서 잘 모르는데' 라는 무력함에서 기인한 것입니다.

지피지기면 백전백승이라는 말도 있는데, 신천지 교인에 관해 잘 알지 못하면서도, 무조건 피해야만 한다고 생각하니 저들이 어떤 생각을 하고 있는지, 그들에 관해 알 기회가 없었습니다. 자신의 가족이 신천지 교인이었다는 사실을 원치 않게 알게 되었을 때, 울며 겨자 먹기 식으로 신천지에 관해 그제서야 공부를 시작하게 되는 것이 대부분입니다. 심지어 이런 경우에도 성경은 반증 중심으로 사용될 뿐, 성경 그 자체의 내용은 주된 관심사가 아닙니다. 그러다보니 교회 조차도 신천지를 비롯한 사이비 이단들이 성경 이야기를 어떻게 왜곡하는지를 잘 모릅니다. 어쩌면 이 모든 과정들이 '우리 교회만 아니면 괜찮다'는 이 사안에 대한 적극적인 무관심에서 기인한 것은 아닌지 모르겠습니다. 제가 처음 신천지에 관해 관심을 가졌던 2011년경 무렵, 신학교 도서관에서 확인했던 자료에서는 신천지에 대해 '신학적으로 논의할 가치 없음'이 평가의 전부였으니 말 다 했지요.

그래서 오늘날까지 어떤 상황에 이르렀느냐 하면, 그저 이단에 대한 적대감을 표출하는 것 외에는 딱히 방법이 없는 것으로 알고 있는 교회들이 많습니다. 그저 가까이 오지 말라고 손사래를 치면서, 그저 '너희들이 나쁘다'고 손가락질을 하는 모양 말입니다. 그리고 이러한 교회의 태도는 오히려 문제를 꼬이게 만듭니다. 한국교회가 갖고 있는 신천지에 대한 적대감은 도리어 신천지 지도부가 내부를 규합할 수 있도록 도운 꼴이 되었습니다.

이러한 상황 속에는 없는 것이 하나 있습니다. 바로 **진실**입니다. 진실이야 말로 헛소문의 안개를 몰아내는 시원한 바람 같은 것인데, 진실이 가장 필요한 자리에 진실 하나만이 사라지고, 그저 피차 속임, 근거 없는 헛소문, 이웃에 대한 적대감과 자신의 미래에 대한 두려움만이 남아있습니다.

오늘 제가 말씀드리려는 것은 간단합니다. 먼저는 신천지의 교육 내용이 어떻게 우리의 이야기를 왜곡시켰는지, 신천지 교인이 교육 받았던 그 헛소문에 관해 자세히 말씀드리려고 합니다. 지피지기면 백전백승입니다. 저들의 교육 내용을 알면, 신천지 교인은 두려움의 대상이 아니라 안타까움의 대상이라는 것을 깨닫게 될 것입니다. 그리고 제가 여기 동안교회에서 할 수 있는 것은 딱 여기까지입니다. 제가 오늘 설교를 마치고 떠나면, 이 교회에게는 선택이 주어질 것입니다. 이 교회가 진실을 위해서 용기를 낼지, 아닐지의 선택 말입니다. 이 이문동 주변에 참된 이야기를 어떻게 알릴지, 또 그 진실한 이야기가 신천지 교인의 귀에까지 어떻게 들리게 할 수 있을지를 고민하는 선택을 하셨으면 합니다. 저는 이 지역 사회에 교회가 세워진 이유가 바로 거기에 있다고 생각합니다. 바로 진실한 이야기의 전달 말입니다.

현재 사태는 급박하게 돌아가고 있습니다. 신천지는 현재 지도부가 절반이나 교체되었고 이것은 지도부에서부터 통제가 제대로 되지 않고 있다는 것을 보여줍니다. 신천지 교인들은 현재 포섭 활동에 다시 열을 내고 있지만, 이것은 내부 규합을 위한 언발에 오줌 누기일 뿐입니다. 요즘 신천지에 포섭되는 사람은 정말 적고, 오히려 신천지에 실망한 이탈자들이 늘고 있습니다. 즉 시시각각으로 거짓된 조직의 붕괴가 다가오고 있습니다. 이런 상황 속에서 저의 시선은 신천지 붕괴 이후를 향해있습니다. 신천지에 여전히 밀착되어서 조직의 붕괴와 함께 자신의 마음도, 소망도, 그리고 인생도 함께 무너졌다고 생각할 사람들이 지금도 많이 있고, 이 이문동 일대도 예외가 아닐 것입니다. 그러니 신천지가 무너지는 일은 박수치고 환호할 일만이 아니라, 사실은 재난 상황입니다. 이러한 재난 상황일 때, 누가 들것을 들고 그들에게 갈 것이며, 누가 그들의 피나는 환부에 붕대를 감아줄 것인가요? 만에 하나 자신의 삶을 포기하는 이들이 있을까 걱정이 되고, 이만희씨 사후 이후에도 신천지 때문에 헤어졌던 가족, 연인, 친구들의 관계가 다시 회복되지 못할까 걱정이 됩니다. 그러니 지금부터라도 누군가는 그들을 위한 치료제 개발에 박차를 가해야 하고, 또 누군가는 그들과 함께 하는 미래를 준비 해야만 합니다. 그리고 저는 이 '누군가'가 교회 말고 누가 있겠나 싶습니다. 그래서 저는 교회의 일원으로서, 제가 먼저 알게 된 그들에 관한 내용들을 교회에 알리고자 합니다. 함께 준비를 갖추자고 손을 내밀며 말입니다.

문제의 정체 : 하나님을 오해, 이웃에게 피해

그럼 신천지 교인의 경험을 중심으로, 신천지에서 처음 접하게 되는 성경 내용이 무엇인지부터 천천히 이야기를 해보겠습니다. 대중에게 알려져있기로는 '비유풀이'라 부르는 신천지의 성경 읽기 방식이 위험하다고들 합니다. 그래서 교회에서도 "씨, 밭, 나무, 새를 교육하는 사람들을 조심하라"고 교육하기도 합니다. 하지만 신천지를 처음 접했을 때 배우는 것은 비유풀이가 아닙니다. 그래서 비유풀이에 대해 경계를 가지고 있어도, 비유풀이를 배울 때 즈음이면 이미 신천지 교리에 설득된 이후인 경우가 많습니다. 그래서 '신천지 교육 내용은 비유풀이이다' 정도만 알고 있는 것은 부족한 대처입니다.

신천지의 포섭 과정 ⇨

노방 (길거리 만남)	인터뷰 세미나	상담	복음방	센터

아담/노아
아브라함
야곱
요셉
모세
여호수아
성경개론

　지금 보시는 것은 신천지에 포섭되는 과정입니다. 노방을 시작으로 센터에 이르기까지 신천지의 포섭 과정은 1년에 걸쳐, 친밀하며 은밀하게 이뤄집니다. 이 포섭 과정에서 성경 이야기가 처음 등장하는 단계가 바로 저 '복음방'이라 부르는 과정입니다. 이 과정은 까페나 스터디룸에서 신천지 교인과 일대일로 성경에 관한 이야기를 가볍게 배우게 됩니다. 까페에서 옆자리에서 성경을 펴놓고 이야기하는 두 사람을 목격하셨다면 복음방인 경우가 많습니다(유감스럽게도 정작 교인들은 까페에서 성경을 펴지 않기 때문입니다). 이때 배우는 내용, 그러니까 신천지를 처음 접했을 때 배우는 성경 내용은 다름 아닌 **구약 인물에 관련된 이야기**입니다. 아담, 노아, 아브라함, 이삭, 야곱, 요셉, 모세 등 유명한 성경 속 인물들을 다루는데, 그리고 바로 여기에서부터 구약 이야기는 신천지의 교육에 의해 교묘하게 왜곡되기 시작합니다. 이때 배우는 내용 속에서 문제를 발견하지 못하기 때문에 이후 '센터'라 부르는 6개월에 걸친 밀도 높은 교리 교육 단계로 자연스럽게 넘어가게 됩니다. 그리고 신천지 교인에게는 저 복음방 때 다루는 구약 해석이 내면화되어 있기 때문에, 저 교육 내용을 따라 세상을 보고, 하나님을 이해하고 있습니다.

저는 얼마 전에 분당에 있는 할렐루야 교회에서 신천지 복음방에서 다루는 내용 중 아브라함과 이삭에 관한 내용을 강의했습니다. 유튜브에 올려두었으니, 동안 교회 성도분들도 꼭 보시고 내용을 잘 익혀두셨으면 합니다. 그리고 오늘 강의 내용은 할렐루야 교회에서의 강의의 연장선에서 신천지에서 교육하는 '야곱'에 관한 이야기를 분석해보려고 합니다. 그럼 이제부터 제가 말씀드리는 신천지가 말하는 야곱에 관한 내용에 어떤 문제가 있는지를 여러분이 생각해보시기 바랍니다.

신천지가 말하는 야곱

신천지의 복음방 교육 내용에서, 야곱 이야기는 에서가 팥죽한 그릇에 장자권을 팔아넘긴 이야기부터 시작합니다. 우리에게도 친숙한 이야기이지요. 잘 알려져있듯 야곱은 형을 속여서 장자권을 얻어냈고, 형 에서는 팥죽(으로 번역되긴 했지만, 사실 렌틸콩으로 쑨 죽) 한그릇에 장자권을 넘깁니다. 이 사건을 두고 신천지에서는 야곱이 꾀가 있고 지혜있는 인물로 그리고 있습니다. 그리고 반대로 에서는 중요한 가치를 알아보지 못한 사람으로 그려집니다. 여기까지는 별 문제 없습니다. 그런데 다음의 질문이 결론처럼 따라옵니다.

"당신의 팥죽은 무엇인가요?"

이 질문은 강력합니다. 예컨대 신천지 교육을 받는 어떤 청년이 신천지에서 교육받는 시간에 아르바이트를 가야 한다면,

그 아르바이트 가는 것이 그 사람의 팥죽이 됩니다. 그리고 팥죽을 선택하고 신천지 교육을 빠질지, 아니면 팥죽보다는 신천지 교육을 중요하게 여길지 선택에 놓이게 될 때, 저 질문을 함께 상기하게 됩니다.

그리고 복음방에서 야곱은 끈기가 있었다고 가르칩니다. 사랑하는 여자 라헬을 얻기 위해 7년을 더 기다리는 끈기, 천사와 씨름할 때 복을 포기하지 않는 끈기가 근거로 제시됩니다. 그리고 끝내 그 끈기대로 천사와의 씨름에서 이겨서 이긴 자가 되어 '이스라엘'이라는 이름을 받았다고 가르칩니다.

그리고 하나님이 무엇을 '선'이라고 보시는지도 야곱과 관련된 복음방 교육에 빠지지 않는 내용입니다. 하나님은 야곱처럼 남을 속이더라도 복을 받기 위해서 끈기가 있는 사람을 좋게 보신다고 가르칩니다. 그리고 하나님은 장자권을 소홀히 여긴 에서보다, 이렇게 지혜롭고 끈기있는 야곱이 하나님의 언약을 이루기에 더 적합한 사람이었고, 야곱의 상황이 잘 풀리게 해주신 것은 바로 이 때문이었다고 말합니다.

이상이 신천지 복음방이라는 초기 포섭 단계에서 야곱에 관해 가르치는 내용을 간단히 요약한 것입니다. **만일 누군가 이 내용을 그대로 수용하게 되면, 어떤 결과가 야기될까요?**

형을 속였던 야곱처럼 이 사람은 신천지의 포섭 방식인 모략이 성경적이라 오해하게 될 것입니다. '모략'이란 신천지 교인이 자신들의 정체를 감추고 타인을 속여서 진행되는 신천지의 포섭 활동을 말합니다. 그리고 야곱의 끈기는 신천지를 포기하지 않는 것을 의미하게 됩니다. 그리고 결론적으로 하나님은 신천지 교인이 남을 속이며 신천지를 붙잡고 있다면, 그 사람을 좋게 보는 분이 되어 버립니다. 신천지 교인이 타인을 속이면서도 그것을 정당화할 수 있는 것은, 성경과 하나님을 이런 식으로 배우기 때문에 가능한 것입니다.

무엇보다도 이만희씨는 신천지에서 야곱으로 대변됩니다. 천사와의 씨름에서 이겨서 이스라엘이라는 이름을 야곱이 얻고, 이스라엘 지파들의 시조가 되는 열 두 아들들 갖게 된 야곱처럼, 이만희씨 역시 신천지 안에서 "이긴 자"라는 이름으로 불립니다. 그리고 신천지 열 두 지파를 조직했다는 이유에서 야곱은 곧 이만희씨로 연결됩니다.

다시 정리해보면, 신천지의 교육 내용 중에서 야곱에 관한 내용은 다음의 문제를 낳습니다.

1) 신천지식 모략을 가능하게 하고,
2) 신천지 교인이 신천지를 붙들게 만들며,
3) 이만희라는 통해 하나님을 보게 만듭니다.

신천지 복음방 교육 내용 : 야곱편

- 야곱은 꾀가 있고 지혜로운 사람 ➡ 너도 야곱처럼 속일 수 있어

- 야곱은 복에 대한 끈기가 있었던 사람 ➡ 야곱처럼 신천지를 포기하면 안돼

- 하나님은 꾀가 있고 끈기 있는 사람을 선하게 보신다 ➡ 하나님은 모략과 신천지에 대한 고집을 좋게 보시는 분이야

신천지가 문제인 근본적인 이유는 그들이 교육하는 내용 자체가 성경 이야기를 왜곡하고 있기 때문입니다. 그리고 성경 이야기에 관한 왜곡은 곧 하나님에 대한 오해로 이어집니다.

**신천지에 끈기를 갖고
남아있는 것을 좋게 보시는 하나님**

**신천지를 위해서라면
남을 속이는 모략도
좋게 보시는 하나님**

**야곱과 같은
이만희씨를 통해
일하시는 하나님**

하나님에 대한 오해는 자신의 삶과 이웃과의 삶을 어렵게 만듭니다. 성경에서 우상숭배를 금하는 이유가 여기에 있습니다. 우상숭배는 하나님에 관한 오해에 다름 아닙니다. 출애굽했던 이스라엘 백성은 하나님을 버리고 금송아지를 숭배한 것이 아니라, 그 금송아지를 보고 우리를 이집트에서 건져준 하나님이라 오해했습니다. 즉 우상숭배는 하나님에 관한 심각한 오해에서부터 기인합니다. 또 성경에는 몰렉이라는 우상이 나옵니다. 자기 자녀들을 불에 바치게 하는 끔찍한 이방 신인데, 당시 가나안을 비롯한 고대 근동에서는 이러한 신이 만연해 있었습니다. 그래서 당시 몰렉이라는 우상을 숭배하는 나라란, 정기적으로 어린이들을 학살하는 거대한 공장과 같았습니다. 정말 끔찍하지요? 더욱 충격적인 것은 우상숭배자들 자신은 신에게 충성을 다하고 있다고 착각하며, 문제를 문제로 보지 않는다는 사실입니다.

하나님에 대한 오해는 삶의 방향을 비뚤어지게 합니다. 성경이 하나님 사랑과 이웃 사랑으로 요약될 수 있다고 말할 수 있다면, 하나님에 대한 참된 가르침이 곧 인간의 올바른 삶과 직결된다고도 할 수 있습니다. 그리고 신천지가 교육하는 성경 이야기는 하나님의 얼굴을 뒤틀어놓고 있고, 이것은 신천지 교인들의 가족, 이웃과의 관계를 일그러뜨립니다. 그런데 이 하나님과의 관계와 이웃과의 관계를 망치는 일이 개인적인 일탈이 아니라, 조직적으로 벌어지고 있다면? 우리는 사이비 이단이 지역 사회에 큰 문제를 가져올 수 있음을 이번 코로나 사태를 통해 알게 되었습니다. 이웃이 서로 신뢰하며 방역망을 함께 구축해야 할 때, 다른 사람들을 적극적으로 속이는 신천지 교인의 태도는 이 사회에 충격으로 다가왔습니다. 이 문제는 바로 하나님에 대한 오해에서부터, 즉 그들의 교육 내용에서부터 기인한 것입니다.

그리고 이러한 하나님에 관한 오해는 신천지 교인을 탈퇴 이후에도 허탈하게 하고 힘들게 만드는 이유들 중 하나입니다. 윤리적으로 옳지 않은 것을 용인하는 하나님이 나를 떠나지 않는다고 생각해보세요. 이러한 상황 속에서 교회의 할 일은, 하나님의 얼굴에 묻은 때를 닦아내는 일입니다. 신천지 교인이 신천지로 인해 하나님을 오해한 것이지, 한 분 하나님은 정작 그런 분이 아니라는 사실을 적절하게 해명해야만 합니다. 이 일은 교회만이 할 수 있습니다.

신천지의 교육 내용을 교정하는 교회

 그럼 하나씩 신천지의 헛소문을 진실과 견주어 봅시다.

(1) 이야기들을 연결하기

 장자권 이야기부터 이야기를 해봅시다. 창세기 25장에 나오는 이야기를 통해 신천지를 포기하지 말라는 결론을 낼 수 있을까요? 하나님은 속임수를 긍정하신다는 얘기를 할 수 있을까요? 우리가 장자권 이야기를 다루면서 잊지 말아야 하는 것은, 이 장자권 이야기가 전체 이야기의 일부라는 사실입니다. **그런데 이 일부를 전체로부터 똑 떼어버리면 아무렇게나 이야기해도 상관이 없어집니다.** 예를 들어볼게요. 다니엘의 세 친구들이 풀무불에 들어가는 위기 속에서도 한 분 하나님에 대한 충성을 포기하지 않았던 유명한 이야기가 있지요. 그런데 이 이야기가 신천지 교인에게는 어떻게 들릴까요? 어떤 위기 속에서도 신천지를 포기하지 말자라는 얘기로 들리겠지요? 그럼 하나님의 교회 사람들에게는 어떻게 들릴까요? 마찬가지로 어떤 위기 속에서도 하나님의 교회를 포기하지 말자는 결론으로 이어질 것입니다. 그럼 JMS 교인들에게는 어떻게 들릴까요? 두 말하면 잔소리입니다. 이렇듯 이야기를 토막내면, 그 이야기를 아무데나 가져가도 자연스럽게 붙습니다. 이것은 이야기를 토막낼 때나 가능한 것이고, 다시 말하면 이렇게 토막낸 이야기는 아무 것도 아니란 말이나 마찬가지입니다.

야곱 이야기도 마찬가지입니다. 야곱 이야기는 전체의 일부입니다. 그 이야기의 앞으로는 아브라함 언약 이야기가 있습니다. 그리고 그 뒤로는 장자권을 얻은 야곱에게 이삭이 축복해주는 내용이 있지요. 그런데 이 아브라함에게 언약하신 내용과 이삭이 야곱을 축복하는 내용을 보면 이 두 가지 내용이 서로 긴밀하게 연결되어 있다는 것을 발견할 수 있습니다. 먼저 아브라함에게 하신 언약 내용의 일부를 확인해봅시다.

창세기 12:3, 새번역
내가 너를 여러 민족의 아버지로 만들었으니,
이제부터는 너의 이름이 아브람이 아니라 아브라함이다.
내가 너를 크게 번성하게 하겠다.
너에게서 여러 민족이 나오고, 너에게서 왕들도 나올 것이다.

창세기 17:5,6 새번역
너를 축복하는 사람에게는 내가 복을 베풀고,
너를 저주하는 사람에게는 내가 저주를 내릴 것이다.
땅에 사는 모든 민족이 너로 말미암아 복을 받을 것이다.

　하나님은 ′아브람′이었던 그의 이름을 ′아브라함′으로 개명해주셨지요. 그 ′아브라함′이라는 이름의 뜻은 ′여러 민족의 아버지′라는 뜻입니다. 그 이름대로 아브라함에게서 여러 민족이 나오고, 여러 왕들이 나올 것이라 약속하셨습니다. 그리고 바로 그 아브라함에게 축복하는 사람은 복을 받고, 아브라함에게 저주하는 사람은 저주받는, 즉 아브라함이 복과 저주의 기준이 될 거라 말씀하셨습니다. 그리고 이 내용은 야곱이 받은 이삭의 축복 내용과도 동일합니다.

창세기 27:29, 새번역
여러 민족이 너를 섬기고,
백성들이 너에게 무릎을 꿇을 것이다.
너는 너의 친척들을 다스리고,
너의 어머니의 자손들이
너에게 무릎을 꿇을 것이다.
너를 저주하는 사람마다 저주를 받고,
너를 축복하는 사람마다 복을 받을 것이다.

창세기 12장의 아브라함 언약과 창세기 27장의 이삭의 축복은 그 내용이 겹칩니다. 여러 민족이 야곱을 섬기고, 야곱에게 저주하면 저주를 받고, 야곱에게 축복하면 복을 받는다는 내용이 동일합니다. 그리고 **오늘의 쟁점인 장자권 이야기는 그 사이에 끼어있습니다.** 그래서 ′장자권′이라고 할 때, 이것은 그저 장자가 유산을 많이 상속받는다는 정도의 얘기가 아닙니다. 장자는 야곱의 할아버지, 즉 아브라함에게 하나님께서 하신 바로 그 언약에 참여하게 되고, 그 언약의 계승자가 됩니다. 그래서 장자권이 중요합니다.

창세기 12~17장 창세기 25장 창세기 25,26장
아브라함의 언약 야곱 이야기의 '장자권' 이삭의 축복

'장자권'은 아브라함 언약을 계승하는 권리

그래서 아브라함 언약의 내용없이
장자권 얘기하는 건, 내용없는 소리가 됩니다

그래서 장자권이란 아브라함 언약을 계승하는 권리라고 요약할 수 있고, 만일 장자권 얘기를 하면서, 아브라함 언약을 함께 이야기 하지 않는 것은 사실 내용없는 소리를 한 것이나 다름 없습니다. 이 내용을 빠뜨리면, 장자권이 왜 중요한 것인지, 야곱이 왜 그것을 그토록 얻고자 했는지, 에서가 소홀했던 것이 무엇인지 말할 수가 없게 됩니다. 야곱이 갖고 싶었던 것은 할아버지인 아브라함 때 언약 되었던 바로 그 내용이고, 에서가 소홀히 여긴 것도 바로 그 아브라함 언약입니다. 야곱이 끈기를 갖고 붙잡은 것은 신천지가 아닙니다.

창세기 3~11장
창조와 타락
창세기 12~17장
아브라함의 언약
야곱 이야기의 '장자권'
창세기 25장

아브라함 언약은 창세

온갖 어려움에서 나를 건져 주신 사자께서
이 아이들에게 복을 내려 주시기를 빕니다.
□□ 이름과 할아버지의 이름 아브라함과 아버지의 이름 이삭이
이 아이들에게서 살아 있게 하여 주시기를 빕니다.
이 아이들의 자손이 이 땅에서
크게 불어나게 하여 주시기를 빕니다.

창세기 48:16, 새번역

기

나 성경 전체의 핵심 주제

그리고 좀 더 넓게 보면, 아브라함 이야기 앞에는 천지창조와 타락 이야기가 있고, 이후 야곱도 자신의 자녀들에게 똑같은 내용으로, 즉 아브라함 언약의 내용으로 열 두 아들들을 축복합니다. 그리고 창세기는 야곱의 죽음으로 마무리 됩니다. 그러므로 창세기 전체에서 핵심 주제는 아브라함 언약이라 할 수 있습니다. 그런데 이걸 빼고 이야기를 토막 내서, 꼴랑 '장자권 이야기' 하나만 가지고 끈기를 내라는 얘기는 성경 문맥에서 벗어난 내용이 됩니다.

그런데 혹시 교회도 이들처럼 가르쳐왔던 것은 아닌가요? 아브라함 언약에 소홀했을 뿐만 아니라, 성경을 토막내어 전체 맥락이 아니라, 일부의 주제에 집중했던 방식은, 신천지 뿐만 아니라, 교회도 마찬가지였던 것 아닌가요? 우리는 어쩌면 신천지 문제를 통해서 교회가 잘못해온 것들을 반성할 거리들을 발견한 것은 아닐까요?

만일 어떤 교회 권사님과 청년이 신천지 교인을 대면한다고 가정해봅시다. 그 신천지 교인과 야곱 이야기를 한다면, 그 사람은 야곱처럼 끈기를 가져야 한다고 말하겠지만 정작 떠올리는 것은 이만희씨입니다. 그리고 그는 이렇게 생각하면서도 그것이 ′성경적′이라 여겼을 것입니다. 이때 교회로서 우리가 그 사람에게 안내해주는 길은 어렵지 않습니다. 창세기를 함께 읽어보는 것입니다. 아브라함 언약이라는 중심을 잃지 않은채 말입니다. 만일 그 신천지 교인이 성경을 같이 읽다가 말문이 막히고, 어떻게든 교육을 듣자는 얘기 밖에 안한다면, 그 사람은 사실 잘 모르기 때문입니다. 그리고 잘 모르기 때문에 일을 망칠까 두렵습니다. 이 무지와 두려움은 진실한 대화에 어울리지 않습니다.

(2) 다른 인물의 입장을 고려하기

신천지식 야곱 이야기의 두 번째 맹점을 살펴봅시다. 하나님은 정말 야곱의 속이는 행동을 좋게 보셨던 것일까요? 신천지도 야곱처럼 이웃들을 속일 수 있다는 이 주장에 관해서는 우리가 무엇을 말할 수 있을까요?

신천지를 처음 접하는 사람은 자신을 가르쳐주는 신천지 강사의 말을 신뢰합니다. 그래서 그 강사를 통해서 야곱 이야기를 접하게 되고, 정작 스스로는 야곱 이야기를 직접 꼼꼼히 읽어볼 생각을 하지 않습니다. 그리고 이렇게 가르치고 있는 강사 역시 자신이 처음 신천지에 들어왔을 때 다른 강사에게 그렇게 배운대로, 다시 말해 그저 들은대로 가르칠 뿐입니다. 그리고 제대로 읽어본 일이 없는 것은 강사도 마찬가지입니다. **그래서 가르치는 사람이나 듣는 사람이나, 정작 성경을 꼼꼼히 읽어본 적 없이** 함께 속는 총체적 난국에 빠집니다. 그런데 막상 우리가 야곱 이야기를 직접 읽어보면, 저 신천지의 논리가 잘못되었다는 것을 확인하는 것은 그다지 어려운 일이 아닙니다.

창세기 25장부터 33장까지를 읽어보면 금방 알 수 있습니다. 이 내용을 꼼꼼히 읽어보면 우리가 그냥 지나칠 수 없는 사실 하나를 발견하게 됩니다. 일단 여기 야곱이 있습니다. 야곱은 신천지의 주장대로 속이는 사람이 맞습니다. 아버지를 속이고, 형을 속이고, 외삼촌도 속였습니다.

그리고 에서를 살펴봅시다. 에서는 야곱에게 팥죽을 주면 맏아들의 권리를 주겠다고 말은 했지만, 자신이 맏아들이 아닐

수는 없다고 생각했습니다. 그래서 자기 배를 채울 목적으로 동생을 속인 것이지요. 만일 에서가 솔직하게 팥죽 한 그릇에 맏아들의 권리를 야곱에게 넘긴 것이라면, 자신이 아버지의 축복을 먼저 받으려고 하지는 않았을 것입니다. 에서는 먹을 것때문에 동생을 속이려고 했고, 동생은 먹을 것을 미끼로 형에게 원하는 것을 얻으려고 했던 것입니다. 그러니 야곱 혼자만이 아니라, 서로 속이려고 한 상황입니다.

그리고 이삭의 부인인 리브가를 빼놓을 수 없습니다. 리브가는 사실 야곱을 끌어들인 주범입니다. 야곱의 몸에 털을 둘러주고, 형의 축복을 가로채라고 말한 것은 엄마 리브가였으니까요. 에서가 이방 여자와 결혼한 것이 못마땅했던 리브가는, 자기 남편을 속이고 큰 아들도 속였습니다.

그런데 그의 남편 이삭도 마냥 피해자가 아닙니다. 창세기 26장에서 이삭은 자기 부인인 리브가를 부인이 아니라 누이라고 아비멜렉을 속인 전력이 있습니다. 나중에 아비멜렉에게 이 일이 적발되어 이삭은 혼쭐이 납니다.

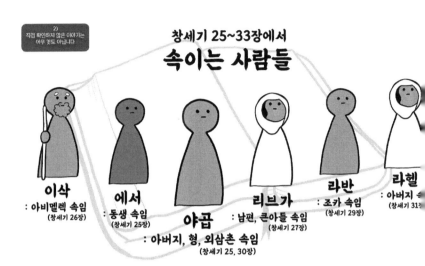

창세기 25~33장에서
속이는 사람들

2)
직접 확인하지 않은 이야기는
아무 것도 아닙니다

이삭
: 아비멜렉 속임
(창세기 26장)

에서
: 동생 속임
(창세기 25장)

야곱
: 아버지, 형, 외삼촌 속임
(창세기 25, 30장)

리브가
: 남편, 큰아들 속임
(창세기 27장)

라반
: 조카 속임
(창세기 29장)

라헬
: 아버지 속임
(창세기 31장)

그리고 야곱의 외삼촌 라반의 경우는 어떻습니까? 창세기 29장으로 넘어가면 도망간 야곱이 외삼촌 라반의 집에서 지내게 되는데, 이때는 라반이 야곱을 속입니다. 라헬을 신부로 준다고 했더니 정작 레아를 주고, 또 7년만 일하면 된다더니, 14년을 일하게 되었기 때문입니다. 그리고 창세기 30장으로 넘어가면 라반만 야곱을 속인 것이 아니라, 야곱도 라반을 속여 재산을 불립니다. 그리고 도망가지 않을 것처럼 하고 있다가 다시 라반을 속이고 모든 재산을 가지고서 도망쳐버렸습니다.

그리고 31장으로 넘어가면 야곱의 부인인 라헬도 이 속이는 사람들의 명단에 자신의 이름을 올려 놓습니다. 그것도 친정집에서 우상을 훔쳐서 깔고 앉고서, 자신은 훔치지 않았다고 자기 아버지를 속이는 일을 저지릅니다. 이건 우상 훔치다가 속인 것이니 어떻게든 좋다고 포장할 수도 없을 일입니다.

　이상 우리가 야곱 이야기에 등장했던 인물들의 면면을 살펴보았습니다. 그리고 우리는 이 이야기의 중요한 사실을 알게 됩니다. 야곱 뿐만 아니라, 야곱 이야기에 등장하는 모든 사람이 서로 속이고 있다는 사실입니다. 그렇다면 하나님은 이 서로 속고 속이는 이 사기판을 좋게 보셨을까요? 다른 사람들이 속이는 것은 나쁘고, 야곱이 속이는 것은 좋게 보셨을까요?

　우리는 야곱의 아버지 이삭의 경우를 통해서 왜 그토록 사람들이 서로를 속이는지, 그 이유를 알 수 있습니다. 아비멜렉이 이삭에게 묻습니다. 대체 왜 당신의 아내를 누이라고 속였느냐고 말입니다. 그때 이삭의 대답이 가관입니다.

창세기 26:9, 새번역
저 여자 때문에 제가 혹시 목숨을 잃을지도 모른다고
생각했기 때문입니다

그러니 이삭이 속임수를 쓴 이유는 '자기 목숨 잃을까봐' 였
습니다. 즉 자기 하나 죽기 싫어서 다른 사람을 속이게 됩니
다. 진실을 말하면 자신이 망할까봐 지레 겁먹은 것입니다. 이
렇듯 남을 속이는 마음에는 속이지 않으면 **내가 망할 것**이라
는 두려움이 깔려있습니다.

야곱처럼 꾀가 있어야해요

**모두가 속이고 있는
야곱 이야기를 읽어보셨나요?**

그럼 다시 이 장면으로 돌아옵시다. 신천지 교인과 우리가 대면한다면, 그리고 야곱 이야기를 하게 된다면, 저 신천지 교인은 야곱은 꾀를 쓰는 사람이고 하나님은 그것을 좋게 보신다고 생각할 것입니다. 그리고 그렇게 타인을 속여도 괜찮다며 성경으로 자신의 모략 활동을 정당화할 것입니다. 물론 이만희 씨를 야곱과 연결지으며 말입니다.

그러나 야곱 이야기의 진실은 우리가 앞에서 확인했던 바와 같이 등장인물 모두가 속이는 사람들이고, 이렇게 누군가를 속이는 이유를 이삭이 잘 말해주듯이, 속이는 것의 근본 동기는

93

두려움입니다. 진실을 말하는 것에 대한 두려움. 자신 망하는 게 무서워서, 자신이 죽는게 두려워서, 내가 못 갖는게 두려워서, 그래서 다른 사람을 속이게 됩니다. 이것을 하나님께서 좋게 보실 리 없습니다. **하나님께서 참아주는 것과 좋게 보시는 것을 구분해야 합니다. 그러나 신천지 교인은 이 둘을 혼동하고, 하나님을 크게 오해하고 있습니다.**

그렇다면 이런 상황 속에서 우리는 무엇을 해야할까요? 그저 야곱 이야기를 함께 읽어보는 것보다 더 좋은 것은 없습니다. 직접 읽어본적 없이, '야곱도 속이니까 나도 속여도 괜찮겠네'라고 생각하는 사람에게는, 직접 읽어보게 하는 것이 특효약입니다.

(3) 야곱에서 이스라엘로

신천지 교육 내용의 마지막 대목입니다. 이 야곱 이야기가 말하고 있는 하나님은 어떤 분이실지 누군가 가르쳐준 내용이 아닌, 언제나 그 자리에 있었던 진실과 마주해봅시다.

이 장면에서부터 시작해봅시다. 야곱은 장자의 권리를 빼앗긴 형 에서가 자신을 추격하고 있다는 얘기를 듣고서, 하나님께 기도합니다. 그 기도 내용을 창세기 32장에서 마주할 수 있습니다. 그간 남을 속여왔던 야곱이 이제는 자신의 두려움을 토로합니다.

창세기 32:11, 새번역
저를 형 에서의 손에서 건져주십시오.
에서가 와서 어미들과 자식들까지
우리 모두를 죽여버리지 않을까 두렵습니다.

죽을까봐 잔뜩 겁을 먹은 야곱은 다음과 같은 대비를 해두었습니다. 일단 라반을 속이고 차지한 가축 떼들을 두 패로 나눴습니다(창세기 32:7,8). 형이 한 쪽을 공격하면, 다른 한 쪽이라도 남길 생각으로요. 형의 마음을 누그러뜨릴 뇌물도 준비했습니다. 그리고 자신 앞에는 종들이 가게 하고, 그리고 나중에는 심지어 자신들의 식구들마저도 자기 보다 앞세우고(22) 자신은 대열의 맨 끝으로 이동합니다. 대단히 비겁한 행동이지 않나요? 무슨 일이 있으면 아이와 여자부터 구하지는 못할망정, 자기 앞에 방패로 삼은 것입니다.

저를 형 에서의 손에서 건져주심시오.
에서가 와서 어미들과 자식들까지
우리 모두를 죽여버리지나 않을까 두렵습니다.

창세기 32:11, 새번역

-두려워서 가축 떼 둘로 나눔

-형을 위한 뇌물 준비

-종들과 가족들을 앞세우고
 맨 뒤에서 따라감

야곱

그런데 그랬던 야곱이 달라졌습니다! 변화의 장소는 얍복강이었습니다. 맨 뒤에 남았던 야곱은 갑자기 나타난 어떤 사람과 씨름을 하게 되었고, 그 씨름은 밤새 이어졌습니다. 야곱은 그때 엉덩이 뼈를 다쳤습니다. 그럼에도 야곱은 그를 붙잡은 손아귀에서 힘을 빼지 않았습니다. 끈기가 있었어요. 할아버지와 아버지에게 하나님께서 말씀하셨던, 그 아브라함 언약의 복에 대한 열정이 있었습니다. 야곱이 포기하지 않자 맞은 편에 서 그 씨름하던 사람이 야곱에게 말했습니다.

창세기 32:28, 새번역
네가 하나님과도 겨루어 이겼고, 사람과도 겨루어 이겼으니,
이제 네 이름은 야곱이 아니라 이스라엘이다."

그리고 그 자리에서 이름이 바뀐 '이스라엘'은 그 사람이 누군지 깨닫고서 이렇게 말했습니다.

창세기 32:30, 새번역
야곱은 "내가 하나님의 얼굴을 직접 뵙고도,
목숨이 이렇게 붙어 있구나!" 하면서,
그 곳 이름을 브니엘이라고 하였다.

하나님의 얼굴을 직접 대면한 야곱은 이제 하나님이 무엇을 원하시는지 알게 되었습니다. 그래서 야곱은 절뚝거려서 도망칠 수도 없는 다리를 가지고, 대열의 맨 앞으로 나섭니다. 어제까지는 두려워서 맨 뒤에 숨었던 야곱은, 간밤에 이스라엘이라

는 새로운 이름을 받고서 이제는 죽음을 두려워하지 않고 형을 만나러 대열의 선두로 나섰습니다(창세기 33:3).

그리고 용기를 내어 형에게 용서를 구했습니다. 이 야곱의 변화는 야곱 스스로 변한 것이 아닌, 야곱과 대면하며 그를 지켜주시고 깨닫도록 돌보신 한 분 덕분이었습니다. 야곱을 밤새 붙들고서 두려움을 극복할 수 있도록 해주시고, 또 야곱이 집 떠나서 길바닥에서 자야만 했을 때, 그의 꿈에서 나타나 하늘과 땅을 연결하는 계단 위에서 아브라함 언약을 말씀하신 바로 그분이 바로 야곱의 하나님이었습니다. 즉 야곱에게 하나님은 언약한 자신을 지키실 뿐만 아니라, 죽음의 두려움을 이기고 진실하게 살 수 있도록 돌보시는 분이었습니다. 우리가 알고 있는 바로 그분 그대로 말입니다.

3)
신천지가 교육하는 하나님은
아무 것도 아닙니다

· · ·

**야곱 이야기에서
하나님은 어떤 분이신가요?**

　다시 신천지 교인을 마주하는 상상으로 들어가 봅시다. 신천지 교인이 잘못된 성경 이야기에 자신감을 가지고 사람들을 만나러 다닐 것이 아니라, 오히려 성경을 직접 읽고 그 안에서 참된 하나님의 모습을 발견한 예수의 사람들이 신천지 교인들을 찾아다녀야 마땅하지 않을까요? 그리고 오히려 우리가 물어야지요. 야곱 이야기 속에서 하나님이 어떤 분이신지를 알고 있는지 말입니다. 신천지 교인이 야곱의 하나님을, 속이는 것을 좋게 보는 하나님으로 오해하고 있을 때, 그들에게 진실을 전달해줄 사람들은 다름 아닌 교회 뿐입니다.

남을 속이는 행위는 당신이 두려워하기 때문이라고, 속이지 않으면 자신이 망할까봐 무서워서 하는 것이라고, 그런 행위를 하나님이 좋아하실리 없다고 말입니다. 야곱 이야기에서 확인하는 **이스라엘다움**이란, 속이고 숨는 것이 아니라 두려움을 이겨내고 진실을 추구하는 삶이라고 말입니다. 그리고 이렇게 달라진 야곱의 태도는 신천지 교인의 행동과 정반대의 모습이라고 말입니다.

그런데 그럼에도 불구하고 만약 누군가가 야곱을 떠올리며, 나도 야곱처럼 꾀를 쓰고 남을 속여야겠다고 고집을 부린다면, 그것은 단 하나의 이유 때문입니다. 직접 이 야곱 이야기를 읽어보지 않았기 때문입니다. 창세기를 직접 읽고 생각해보지 않는다면, 그래서 신천지 강사가 되었든 누가 되었든 그저 누가 말해주는대로 수용해버렸다면, 이 내용들을 성경 본문을 통해서 한 번도 반추하지 못한 것이 분명합니다.

결론

 오늘 내용을 정리해봅시다. 하나님에 대해 신천지식으로 알고 있는 사람은, 자기 자신을 괴롭게 하고 이웃과의 관계에도 문제를 일으킵니다. 그리고 만일 신천지 탈퇴자가 한 분 하나님에 대한 오해 때문에 가까이 하고 싶지 않은 그 하나님을 버리고자 한다면, 혹은 반대로 과거의 기억 때문에 괴롭지만 어떻게든 하나님을 붙들고자 힘을 내고 있다면, 두 경우 모두 필요한 것은 하나입니다. 진실한 이야기. 이것이 한 사람에게는 한 분 하나님에 대한 해명이, 다른 한 사람에게는 길을 몰라 헤매고 있는 이에게 한 줄기 빛일 것이기 때문입니다.

• 하나님은 야곱이 실수하고 범죄하더라도 그를 곧장 떠나버리는 조급한 분이 아니었습니다. 오히려 야곱이 망할 것을 두려워하며 다른 사람들에게 거짓말을 남발할 때도, 그리고

그를 둘러싼 모든 이들도 속이고 있는 상황 속에서도 그가 진실할 수 있도록 그를 곁에서 도와주셨습니다.

- 그리고 야곱은 연약했지만, 하나님은 그 연약한 사람 곁에서 그 연약한 사람의 변화를 가져오셨습니다. 야곱을 벧엘에서 만나주시고, 얍복강으로 친히 내려와 만나주셨기에, 그 결과 야곱은 두려워하거나 속이는 사람이 아니라, 용기를 내어 형에게 먼저 용서를 구하는 이스라엘로 달라질 수 있었습니다. 그런데 하나님이 인간의 연약함에도 불구하고 그를 도와주셨는데, 하나님께서 도와주셨다는 이유로 야곱의 범죄와 연약함을 정당화하는 것은 성경을 거꾸로 읽은 것이고, 그런 하나님은 없습니다.

- 그리고 인간의 연약함에도 불구하고 함께 하시며, 그가 달라질 수 있도록, 그가 깨달을 수 있도록 곁에서 돕는 그 하나님의 모습은, 우리가 알고 있는 한 분의 모습과 정확히 일치합니다. 바로 아브라함의 언약의 바로 그 자손으로 오신 예수 그리스도 말입니다. 우리가 하나님의 얼굴을 찾을 때, 그리

스도를 발견하는 것이 성경 읽기의 바른 결론입니다. 신천지
식 읽기로는 발견할 수 없는 한 분입니다.

3)
신천지가 교육하는 하나님은
아무 것도 아닙니다

'아브라함 언약'을
이루시는 하나님

야곱이 진실할 수 있도록
도우시는 하나님

연약한 야곱을
끝까지 돌보시는
하나님

그러니 우리가 죄인이었을 때 우리를 먼저 사랑하셨던 그분
처럼, 그들이 참 하나님을 알고서 웃을 수 있도록 참된 이야기
의 선물을 준비해야 하는 것은 그분을 닮으려는 우리로서는 당
연하고 자연스러운 일입니다. 하나님에 관해 오해하고 있는 이
들에게 참 하나님의 모습을 전달하는 것이 교회의 역할이기
에, 우리가 나서야 합니다. 이단에 관련된 일은 특수한 일이라

기 보다는, 그저 진실한 이야기를 알고 있는 교회의 마땅한 몫이기 때문입니다.

그런데 요즘 저의 걱정은 신천지에 있지 않지 않고, 오히려 교회에 있습니다. 소위 이단 특강이라 하면 저들은 잘못되었고, 우리는 옳다는 결론으로 끝나기 십상입니다. 그러나 이야기를 토막내고, 정작 직접 읽어보지 않은채 이야기를 단편적으로 알고 있으며, 하나님을 오해하는 문제에 있어서, 한국 교회 역시 손이 깨끗하다고 말할 수 있을까요? 저들을 손가락질하기 전에, 우리가 우리의 이야기에 충실한지 돌아봐야만, 저들을 도와줄 수 있습니다. 그러니 우리는 토막난 이야기들 부터 다시 연결하고, 성경 전체에 대한 **해석의 안목**을 길러야 합니다. 이것은 우리 자신의 신앙만을 위해서가 아니라, 지역 사회 안에서 우리가 진실을 말하기 위함입니다.

이것을 위해서는 신천지식의 잘못된 성경 읽기를 가능하게 하는 세 가지를 우리가 먼저 주의하고 혹여나 우리가 그간 이렇게 해온 것은 아닌지 돌아볼 것을 교회 공동체에게 제안합니다.

먼저는 성경을 토막내지 않는 것입니다. 신천지의 교육 내용에서 등장했던 "당신의 팥죽은 무엇입니까?" 같은 접근은 성경을 자기 중심적으로 토막내고, 전체 그림에 눈 가려지게 하기에 딱 좋습니다. 이렇게 성경 이야기가 토막나 버리면, 그 사이를 흐르던 언약이라는 물줄기를 잊게 됩니다. 하나님께서 아브라함과 이삭과 야곱에게 하신 그 언약에 대한 신중하고 꼼꼼한 이해를 갖고 있어야 합니다. 이것이 하나님께서 우리에게 주신 약관이고, 성경 서사는 이 약관에 대한 인간의 반응과 하나님의 성취에 다름 아니기 때문입니다.

두 번째로는 직접 읽어본 일 없이, 누군가의 말을 그대로 신뢰하고 있는 것은 아닌지 스스로 돌아봐야 합니다. 직접 읽어보지 않은 이야기는 언제나 반쪽 자리이고, 성경은 누군가의 제자가 되기 위함이 아니라, 그리스도의 제자가 되기 위해 사용되어야만 하는 책입니다.

그리고 세 번째로는 용기가 필요합니다. 낯선 이들을 대면하는 용기. 그 용기가 있어야만 이 진실한 이야기가 낯선 이들의 친구됨을 통해 퍼져나갈 수 있을 것입니다. 야곱이 두려움을 극복하고 이스라엘이 되었듯, 교회가 교회답기 위해서는 두려움을 벗어내고, 진실을 증언하는 우리다운 일에 충실해야 합니다.

헛소문을 진실한 이야기로 대체하기

1)
토막 낸 이야기는
아무 것도 아닙니다

2)
직접 확인하지 않은 이야기는
아무 것도 아닙니다

3)
하나님에 관하여
바르게 알고
전달하는 책임

성경 전체 이야기에 관한 직접 파악, 그리고 용기

그래서 저는 오늘날의 교회를 가리켜 임박한 파국 앞에서의 이야기꾼들이라 하겠습니다. 신천지의 붕괴와 함께 자신의 마음도 삶도 함께 무너뜨릴 위기의 사람들에게, 사실 성경 이야기 속 진실은 그렇지 않았다고, 하나님은 그런 분이 아니었다고 따뜻하게 전할 수 있는 사랑의 사람들로서 우리가 이 시대의 풍파 속에서 곧게 서길 바랍니다.

기도하겠습니다.

**현장에서 강의했던 영상을
유튜브에서 보실 수 있습니다**

두 번째 강의 이후

Q. "당신의 팥죽은 무엇인가요?" 와 같은 접근 방법에 관해 이야기 나눠봅시다.

Q. 84,85쪽에 나온 그림을 토대로, 야곱이 받았던 '장자권'에 관해서 설명해봅시다. 언약에 관한 이야기가 빠질 수 없겠지요.

Q. 본문에서 말하고 있는 성경을 읽는 두 가지 방식을 비교해봅시다. 신천지의 성경 읽기와 윤소장의 성경 읽기에는 어떤 차이가 있나요?

Q. 신천지 교인을 대면하는 교회의 바른 태도에 관해 이야기 해봅시다.

3장.
요셉 이야기 다시 읽기

*2021년 9월 26일 목동에 있는 한사랑 교회에서 설교한 내용입니다

안녕하세요. 한사랑 교회 청년 여러분, 이렇게 만나게 되어 반갑습니다. 저는 여러분과 마찬가지로 메시아 예수의 몸의 일부를 구성하고 있는 윤재덕이라고 합니다. 기독교인의 자격으로, 여러분과 마찬가지로 한 분 예수를 따르는 것을 생의 방향과 목적으로 삼은 사람으로서 오늘 여러분들께 제가 갖고 있는 문제 인식에 관해 말씀드리고자 합니다. 우리가 같은 문제 인식을 공유하기만 한다면, 우리는 문제 해결에 관해서도 함께 논해볼 수 있을 것입니다.

인터넷 커뮤니티만 보아도 대한민국 사회는 극단주의에 시달리고 있음을 어렵지 않게 확인할 수 있습니다. 남녀 갈등, 세대 갈등, 좌우 정치적 이념은 이제 대한민국 사람이 호흡하는 공기와 같을 지경입니다. 이 '극단주의'는 곧 '외부를 어떻게 보느냐'의 문제입니다. 자신들을 숭고한 목적을 추구하는 전사로 보고, 외부를 싸잡아 악으로 규정할 때만 극단주의는 가능해집니다. 그리고 이러한 극단주의의 예시 중 제게 가장 가까운 것은 신천지가 있습니다. 그래서 제게 신천지 문제의 해결은, 극단주의적 세계관으로 갈등을 겪고 있는 사회를 치유하는 문제로 보이기도 합니다.

해결은 언제나 진영논리에 휘말리지 않으면서도, 진실을 말할 수 있는 사람들에게 달려 있습니다. 간단하게 말하면, 사랑과 진리가 극단주의에 시달리는 이 사회의 치료약이라 할 것입니다. 저는 오늘도 극단주의의 사회를 치유하는 것이 곧 교회만이 할 수 있는 역할이라 믿습니다. 로마와 유대가 서로를 적으로 규정하고, 스스로를 숭고하게 여길 때, 그 사이에 끼어서 자신의 죽음과 부활로 화해를 이루신 분이 교회의 머리이시기 때문입니다.

그런데 문제는 이중으로 꼬여있습니다. 극단주의의 치료책이 되어야할 교회 마저도 극단주의의 양상을 보인다는 말입니다. 심지어 '교회'라 이름하는 곳이 대한민국 사회 안에서 극단주의를 대변하고 있기도 합니다(고개를 들어 사랑제일교회를 보시기 바랍니다). 이것은 일부 저들의 문제가 아니라, '우리는 누구인가'를 물어야 할 문제입니다. 신천지를 대하는 문제에 있어서도, 교회는 사랑과 진리를 제대로 사용하지 못했습니다. 특히 진리의 측면에 있어서는, '종말에 관한 이야기'가 버려져 아무렇게나 나뒹굴고 있습니다.

옛 사람들이 기록한, 누군가가 겪었던 사건들에 관한 이야기 모음집을 교회는 "거룩한 기록"으로 보존해왔습니다. 그리고 이 기록 안에서 우리가 하나님이라 부르는 분이 어떤 분이신지를 알 수 있다고 고백해왔습니다. 그런데 유감스럽게도 이 거룩한 기록 안에서 한 분 하나님의 형상을 발견해야 할 교회가 이 기록을 다루는 일에 낯설어 합니다. 혹여나 이 자리에도 성경이 내가 자유롭게 수영할 수 있는 풀장이 아니라, 발이 푹푹 빠지는 갯벌처럼 여겨지는 분은 안계신가요?

저는 오늘날의 한국교회가 겪는 사이비 이단의 문제의 원인이 성경에 대한 피상적인 이해에 있다고 말씀드려 왔습니다. 그리고 이러한 얕은 이해는 세상을 쉽게 둘로 나눠버립니다, 아군과 적군으로 말이지요. 교회의 역할이란 교회 안에서만 국한되지 않습니다. 성경의 내용이 무엇인지 적절한 방식으로 대중에게 전달하는 것이 교회가 갖는 사회적 책임입니다. 저는 극단주의를 벗어나 이웃에 대한 새로운 이해를 제공하는 것이 성경의 기능이라 생각합니다. 우리가 성경 속 예수를 통해 이웃을 새로이 이해하게 되었다면 말입니다. 그러나 교회는 이 사회적 책임을 다하지 않습니다. 그렇기 때문에 적절한 성경의 내용을 접하지 못했던 우리의 이웃들이 사이비 이단에 속게 되고, 오늘날은 심지어 교인들조차 사이비 이단의 성경 해석에 빠지고 있는 형국입니다. 이 사회적 문제의 근원에는 교회의 문제, 다시 말해 교회가 성경 이야기를 적절하게 알고 표현하지 못하기에 어쩔 줄 모르는 문제가 된 것입니다. 오늘날 교회가 겪고 있는 사이비 이단는 극단주의에 사로잡힌 대한민국의 축소판이라 하겠습니다.

그럼 어디에서부터 이 문제에 손을 댈 수 있을까요?

창세기   출애굽기   레위기   민수기   신명기

저는 지금 여러분이 보고 계신 다섯 권의 책, 창세기부터 신명기까지의 이야기에 한국 교회의 운명이 걸려있다고 확신합니다. 저 다섯 권의 책을 묶어서 토라(Torah)라고 부르고 '율법'이라 번역합니다. 이 율법의 이해, 창세기부터 신명기까지를 적절하게 이해하고 있는가 그렇지 않는가에 교회의 교회다움을 이해하는 시작입니다. 그리고 사이비 이단 문제 역시 이 일의 부산물처럼 끼어있습니다. 조금만 생각해보면, 이 창세기부터 신명기까지가 문제의 본질이었음을 어렵지 않게 깨달을 수 있습니다. 예수께서는 이 율법의 중요성을 하늘과 땅, 곧 우주 전체의 운명과 맞대어놓으실 정도였고,

마태복음 5:18, 새번역
내가 진정으로 너희에게 말한다.
천지가 없어지기 전에는

'토라'는 일점 일획도 없어지지 않고,
다 이뤄질 것이다.

바울 역시 메시아 예수를 가리켜 "율법의 결말"이라 묘사할
정도였습니다.

로마서 10:4, 개인번역
신실한 모든 자를 의롭게 하시는
메시아가 토라의 결말이십니다

즉 율법은 예수께서 무엇을 이루셨는지를 확인하기 위한 첩
경입니다. 우리가 예수를 알기 위해서는 율법을 알아야 합니
다. 율법의 내용이 무엇인지 알아야, 그것의 결말로서 오신 예
수께서 어떤 분이신지 구체적으로 알 수 있을테니 말입니다.
이 말은 반대로 하면 율법을 알지 못하면, 예수께서 무엇을 이
루셨는지도 오해하게 된다는 말이기도 합니다. 율법에 소홀한
사람의 예수 이해는, 적어도 예수께서 그토록 중요하게 생각했
던 것이 빠진 이해, 바울이 예수를 알기 위해 반드시 필요했던
내용이 빠진 이해입니다. 마치 양궁에서 과녁을 향한 방향이
맞아야 화살이 제대로 날아가듯, 율법이란 성경 전체를 이해하

는데 있어서 가늠쇠와 같은 역할을 합니다. 그러므로 성경 전체를 이해하는 방향이 바로 이 창세기에서 신명기까지의 이야기에서 결정됩니다.

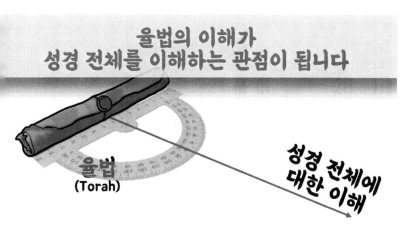

율법의 이해가
성경 전체를 이해하는 관점이 됩니다

율법
(Torah)

성경 전체에
대한 이해

교회는 그간 예수께서 우리 개인의 죄를 용서해주셨다는 고백은 잘 해왔지만, 그 죄 용서를 둘러싼 더 큰 이야기에 관해서는 무지했습니다. 사실 죄 용서는 큰 그림의 핵심이지, 그 큰 그림 자체는 아닙니다. 그러나 우리는 개인의 구원에만 관심을 갖다보니, 성경 전체가 보여주는 큰 그림보다는 오로지 예수와 나의 관계에만 집중해왔던 과거를 가지고 있습니다. 창세기부터 요한계시록 전체에 이르는 거대 서사가 아닌, 그 서사의 몇몇 주요 장면만이 우리의 뇌리에 깊게 새겨져 있습니다. 그리고 그렇게 기억하고 있는 성경 이야기 안에서 율법은 오늘날 성도들에게는 불필요한 것으로 취급되었습니다. 그 결과 교회 안에서조차 이스라엘의 언약과 예언 이야기를 듣기 어려워졌을 뿐만 아니라, 성경 이야기의 최종 결말인 새 하늘과 새 땅이라는 성경 어휘가 교회에게조차 낯선 단어가 되었습니다. 십자가에서 피 흘리신 예수는 우리의 예수이지만, 그 피 흘림은 한 편으로는 율법을 완성하고, 다른 한 편으로는 새 하늘과 새 땅을 이루시기 위함이란 사실이 적절히 표현되지 않았던 것입니다.

그리고 신천지 문제를 생각해 봅시다. "새 하늘과 새 땅"이라는 성경 전체의 결말을 자신들의 조직 이름으로 차용한 신천지는, 지금도 사람들에게 그릇된 성경 이야기를 조직적으로 교육하고 있습니다. 지금 보시는 것은 신천지에 포섭되는 과정을 도식화한 것입니다. 신천지 교인 다수에 의해 둘러싸여 동선과 관심사가 파악되어 주도 면밀한 포섭을 당하는 사람이 처음 신천지의 성경 해석을 맞닥뜨리는 단계가 바로 저 복음방이라는 단계입니다.

신천지의 포섭 과정 ⇨

노방 (길거리 만남)	인터뷰 세미나	상담	복음방	센터

아담/노아
아브라함
야곱
요셉
모세
여호수아
성경개론

그리고 저 복음방에서 다루는 내용이 다름 아닌 '율법 이야기'입니다. 즉 신천지의 성경 왜곡은 율법에 나오는 인물들을 신천지의 입맛에 맞게 다루는 것으로 시작되고, 이렇게 창세기부터 신명기까지를 망쳐놓지 않으면, 신천지의 교리를 세울 수도 없게 됩니다. 다시 말해 여기가 그릇된 해석의 시작이자, 사태를 바로 잡기 위해 끼워야 할 첫 단추입니다.

저는 오늘 한사랑 교회에 오기까지 할렐루야 교회, 동안교회를 거치며 아담, 아브라함, 이삭, 야곱에 관해서 신천지가 어떻게 교육해왔으며 정작 성경은 어떻게 말하고 있는지를 비교하는 강의를 해왔습니다. 그리고 오늘 한사랑 교회에서는 그 다음 순서에 해당하는 '요셉'에 관해 살펴보고자 합니다. 먼저 신천지 복음방에서 교육하는 '요셉 이야기'에 관한 요점을 살펴보고, 그것에 왜 문제인지 율법을 펼쳐 하나하나 확인하는 시간을 갖도록 하겠습니다.

복음방은 아직 정체를 밝히지 않은 신천지 교인과 하는 일대일 성경 공부입니다. 이때 아담부터 노아, 아브라함, 야곱 등을 거쳐 요셉에 관해 배우게 됩니다. 그 내용을 간단하게 요약해 보겠습니다.

신천지 복음방 교육 내용 : 요셉편

▪ "요셉이 고생하고 핍박 받았던 것은 하나님의 일을 이루기 위해서야"

▪ "이긴 자와 열 두 지파 라는 결론이 있어야 해"

▪ "1984년부터 마지막 때, 세상 끝, 종말이야"

1) "요셉이 고생하고 핍박 받았던 것은 하나님의 일을 이루기 위해서야."

여러분은 이 내용에 관해 어떻게 생각하시나요? 이처럼 신천지에서 요셉은 하나님이 일하시는 방법을 보여주는 인물로 교육됩니다. 즉 요셉이 형들에게 핍박을 받고 팔려가서, 보디발의 아내에게 누명을 써서 억울한 일을 당하고, 감옥에도 수감되기도 했지만, 이러한 요셉의 고생과 핍박은 모두 총리가 되어 하나님의 일을 이루기 위함이었다는 것입니다. 이 내용이 그다지 문제 될 것은 없다고 생각하실 수도 있습니다. 한국 교회가 요셉에 관해 가지고 있는 이미지와 크게 다르지도 않은 듯 합니다.

2) "이긴 자와 열 두 지파라는 결론이 있어야 해"

두 번째로 신천지에서는 "이긴 자와 열 두 지파"를 대단히 중요하게 생각합니다. 이긴 자란 신천지에서 이만희씨를 가리키는 용어이고, 열 두 지파는 전국적으로 12분할 되어있는 신천지 조직을 가리키는 말입니다. 그리고 요셉 이야기에서도 야곱은 이긴 사람으로 또 그의 열 두 자녀들이 이스라엘을 이루지요.

　이 두 가지 사실이 신천지 교인의 사고 안에서 어떻게 작동하느냐 하면, 먼저는 요셉의 고생과 핍박은 하나님의 목적을 이루기 위해 필요한 과정이 되어버립니다. 따라서 신천지의 하나님은 자신이 이루길 원하는 목적이 있다면, **그 목적에 부합하는 고생을 부과하시는 하나님**입니다. 그리고 하나님이 이런 방식으로 일하시기 때문에, 신천지 교인이 겪는 고생과 핍박 또한 요셉을 통해 배우는 그릇된 하나님으로 인해 정당화됩니다.

　그리고 신천지 교인은 이만희씨와 그가 만든 열 두 지파라는 조직에 자부심을 가지고 있습니다. 그리고 야곱과 열 두 자녀가 존재하듯, 이만희씨와 열 두 지파의 조직을 갖춘 신천지가 성경적이라 생각합니다. 그래서 신천지를 나갈 생각을 하다가도, "그럼 신천지 말고는 열 두 지파가 어디에 있겠어?" 라고 되묻고 신천지 안에 남게 됩니다. 따라서 그들에게 요셉 이야기는 야곱의 열 두 아들이 이스라엘을 구성했다는 내용 말고는 그다지 중요한 것이 없어집니다.

3) "1984년부터 예언이 성취되기 시작했어"

　그리고 이러한 사고를 가능하게 하는 것은, 신천지 교인에게 예언이 성취되는 시기인 '종말'은 1984년부터 시작되었고, 교회가 아닌 이만희씨를 중심으로 한 새로운 집단이 구원을 위해서 출현했다고 믿기 때문입니다. 이 1984년부터 오늘날에 이르는 신천지 교인의 시대정신이 요셉 이야기의 왜곡을 가능하게 합니다.

신천지를 위한 고생과 핍박은
하나님이 일하는 방식이야

신천지에는
이긴 자와 열 두 지파가 있으니까
여기가 맞아

왜냐하면 1984년부터
종말이니까

그럼 우리는 저런 사고를 갖고 있는 사람을 어떻게 섬길 수 있을까요? 그저 신천지 교인이라는 이유로 혐오하지 않고, 원수를 사랑하는 예수의 태도를 갖고서, 우리는 저들에게 적절한 도움을 줄 수 있을까요?

요셉 이야기를 직접 읽어보셨나요?

요셉에 관해서 신천지 식으로 알고 있는 이들에겐 공통점이 있습니다. 그들은 성경을 직접 읽어본 적이 없습니다. 제가 이렇게 이야기 하면, '나는 읽어보았노라'고 항변하시는 신천지 경험자가 있을지 모르겠습니다. 그러나 타인의 입장을 고려하지 않은 읽기를 저는 읽기라 부르지 않습니다. 눈으로는 문장들을 급하게 따라가며, 그 안에서 신천지 교리들을 발견하려는 읽기는 읽기라 부르기 어렵습니다. 읽기란, 그 글을 처음 쓰고 읽었던 이들의 입장을 상상할 때만 가능한, 그야말로 옛날과 지금의 소통이기 때문입니다. 요셉이 나오는 창세기 본문들을 이런 식으로 읽어봤다면, 그 이야기가 말하려는 핵심을 비껴가기 어렵습니다. 그러나 오늘날 한국 교회가 겪고 있는 신천지라는 곤궁은, 두 가지 사실이 맞물려 있는데, 하나는 앞에서 말씀드린대로 신천지 교인이 성경 본문을 꼼꼼하게 읽지 않는다는 것입니다. 어찌보면 이건 당연합니다. 성경 본문을 꼼꼼하게 읽게 되면 신천지 교리의 헛점들을 발견하게 될 것이기 때문입니다. 그런데 이것과 더불어 한국 교회 역시 성경 본문을 제대로 읽지 않는다는 사실이 사이비 이단들에 의한 성경 왜곡 문제를 심화시키고 있습니다. 신천지가 교육하는 성경 해석이 이 사회 안에서 이토록 악명을 떨칠 수 있는 것은, 진실한 해석을 들을 수 있는 창구가 막혀버렸기에 가능한 일입니다.

　신천지 교리는 잘 만들어진 메트릭스와 같습니다. 그래서 보이기에는 현실이지만, 막상 가까이에서 가만 들여다보면 눈에 보이는 부분 말고는 텅 비어있습니다. 또 트루먼이 살고 있는 거대한 세트장에 비유할 수도 있습니다. 실제 같지만, 정작 끝까지 밀어붙이면 하늘색으로 칠해놓은 세트장에 부딪치게 됩니다. 그래서 이런 상상을 해봅니다. 만일 누군가가 그들 대신 성경을 꼼꼼히 읽고 징검다리를 놓아준다면 어떨까 라고 말입니다. 그 징검다리의 끝에서 네오가 깨달을 수 있고, 트루먼이 탈출할 수 있다면 말입니다. 그 징검다리를 놓아줄 수 있는 사람은 다름 아닌 당시 유대인의 입장에서 성경을 읽은 사람, 꼼꼼하게 글자를 따라 자신에게 낯선 것을 발견한 사람, 더불어 신천지 교인을 기다려주면서도 끈기있게 징검다리를 놓아줄 수 있는 사랑의 사람일 것입니다.

　요셉이 나오는 이야기는 창세기 37장부터 50장에 이르는 토라 이야기의 일부입니다. 아리스토텔레스는 <시학>이라는 책에서 '전체에서 빼도 되는 부분은 부분이 아니'라고 했습니다. 마찬가지로 요셉 이야기는 토라 이야기에서 빠뜨릴 수 없는, 전체 안에서만 제 의미를 갖는 율법의 일부입니다.

창세기 3~11장
창조와 타락　　아브라함의 언약　야곱 이야기의 '장자권'　이삭의 축복　요셉 이야기　야곱의 축복과 죽음
창세기 12~17장　　창세기 25장　창세기 25,26장　창세기 37~47장　창세기 47~50장

창세기

요셉 이야기
창세기 37~47장

요셉의 꿈 이야기

요셉이 이집트의 총리 된 이야기

그러나 신천지를 비롯한 사이비 이단들은 이 전체와 부분의 관계를 무시합니다. 이단들의 특징은 성경 안에 나오는 일부의 이야기를 전체로부터 뚝 떼어내어 다른 소리로 바꾸어 버립니다. 마치 '형들에게 핍박 당하고, 고생하던 요셉이 총리대신 되었다'만 기억되어 출세한 사람의 성공 스토리로 오해되는 요셉 이야기처럼 말입니다. 이렇게 토막낸 이야기 쪼가리는 어디에나 다 쓸 수 있습니다. 공부하는 수험생에게 요셉 이야기는, '내가 지금 공부하느라 고생하지만, 지금 고생해야 요셉처럼 성공할 수 있어' 라고 생각할 것입니다. 신천지 교인은 '내가 지금 신천지 활동하지만, 지금 고생해야 요셉처럼 하나님의 일에 참여할 수 있어' 이 둘은 요셉 이야기를 그 이야기가 놓인 전체 문맥에서 떼어내면, 사실 아무 것도 아닌 이야기인데 말입니다.

여러분은 요셉 이야기를 어떻게 알고 계신가요? 정작 요셉이 나오는 성경 이야기를 꼼꼼히 읽어보면, 누구에게나 익숙한 인생 역전 스토리나, 고생 끝에 낙이온다는 고생을 정당화시키는 일반적인 이야기가 아니라는 것을 대번에 알 수 있습니다. 요셉의 이야기를 금세 요약해볼게요. 먼저 요셉 이야기의 시작인 37장을 읽어보면, 야곱의 족보가 나오고 요셉이 등장합니다. 요셉은 좋은 사람으로만 평가 받지만, 사실 성경에서 요셉이 처음 등장할 때를 보면 형들을 고자질하는 사람으로 등장합니다. 성경에서 고자질은 대단히 무겁게 취급되는데, 왜냐하면 고자질은 '사탄'이라는 말의 뜻이기도 하기 때문입니다. 그러니 요셉은 형들의 미움을 받을만한 원인 제공을 했다는 사실을 확인하게 됩니다. 그럼에도 부모는 요셉만 편애하고 요셉에게만 형형색색의 색동옷을 입힙니다. 게다가 설상가상으로 요셉은 곡식들이 자신에게 절하고, 해달별이 자신에게 절하는 꿈을 꿨다는 이야기를 하며 형들을 자극합니다.

곡식단이 자신에게 절하는 꿈을 꾼 요셉에게 형들은 말하기를, "그 꿈대로 네가 우리를 다스리게 될 것 같냐?" 고 되묻고, 해와 달과 별이 자신에게 절하는 꿈을 꾼 요셉에게 하물며 요셉을 아끼는 아버지 야곱조차, "우리 가족이 설마 너한테 절 하는 일이 있겠느냐?" 라고 반문합니다. 이렇듯 이 이야기 속 요셉은 전형적인 되바라진 남자 아이로 보입니다. '과연 그 요셉이 꾼 꿈대로 전개될 것인지'에 관한 토라가 제기하는 호기심을 제외한다면, 요셉에겐 특별할 것이 없습니다.

창세기 37:20, 새번역
자, 저 녀석을 죽여서, 아무 구덩이에나 던져 넣고,
사나운 들짐승이 잡아먹었다고 하자.
그리고 **그 녀석의 꿈이 어떻게 되나 보자.**"

이후 창세기는 요셉이 아니라 유다에게 카메라를 돌립니다. 유다는 동생 요셉을 팔아버리자고 제안한 사람입니다. 그리고 38장으로 넘어가면 유다의 족보로 이어집니다. 그리고 유다의 며느리 다말이 졸저에 과부가 되었고, 이 비천한 여인을 유다도 유다의 아들들도 거들떠 보지 않습니다. 그리고 잘 알려진대로, 유다 가족에서 찬밥 신세가 되어버린 다말이 창녀로 변장하여 유다와 관계를 맺습니다. 다말은 염소로 화대를 치르겠다는 유다에게 **담보물**로 도장과 끈과 지팡이를 요구합니다.

 석달 후 다말이 임신했다는 사실이 알려지고, 남편 없이 임신한 다말이 간통죄를 저질렀으니 마을 사람들은 다말을 죽여야 한다며 그녀를 끌고 옵니다. 그리고 다말은 때맞춰 시아버지에

요셉 이야기
창세기 37~47장

요셉의 꿈 이야기	유다의 족보 유다와 다말의 담보물 이야기	요셉이 이집트의 총리 된 이야기

게서 받은 그 담보물을 제시합니다. 그러자 유다가 자신의 잘못을 인정합니다.

그리고 창세기의 카메라는 다시 요셉을 비춰줍니다. 요셉은 보디발의 집에 취직하게 되고, 보디발의 아내의 유혹을 받습니다. 보디발의 아내는 요셉을 덮치려고 하다 실패하고는, 요셉의 옷을 빼앗아 그 옷을 **담보물**로 요셉을 곤란하게 합니다. 이 일로 요셉은 옥살이를 하게 되고, 그 안에서 간수의 행정 업무를 도맡게 됩니다. 그리고 그 안에서 술 맡은 자와 떡 굽는 관원장의 꿈을 해몽하게 됩니다. 그리고 두 사람 모두에게 "사흘 안에 파라오가 당신의 머리를 들 것"이라고 꿈을 풀어줍니다. 두 사람에 대한 꿈 해몽은 동일했는데 정작 결과는 정반대였습니다. 한 명은 살고, 한 명은 죽임 당했습니다. "머리를 들다"라는 표현은 이 두 가지 모두를 의미합니다.

이번에는 파라오가 꿈을 꿉니다. 마른 일곱 암소가 살찐 암소 일곱을 잡아 먹고, 마른 이삭이 잘 익은 이삭을 잡아먹는 꿈입니다. 요셉은 7년 풍년 뒤에 7년 대흉년이 올 것이니, 각 지방마다 곡식창고를 지어야 한다고 해몽하고, 즉시 이집트의 총리가 됩니다. 이로서 고생고생 하던 요셉이 정말 총리가 되었습니다. 그런데 이 이야기는 요셉의 성공 스토리로 마무리 되지 않습니다. 7년의 대 흉년이 찾아왔고 열 한 명의 형제들은 이집트로 먹을 것을 구하러 떠납니다. 요셉을 만났지만, 형들은 이 사실을 모르는 상황이었고, 이집트 총리 요셉은 막내 동생 베냐민을 데려오지 않으면 스파이로 간주하겠다고 엄포를 놓았습니다. 요셉을 잃은 야곱은 라헬이 낳은 유일한 아이인 베냐민을 끔찍히 아끼고 있었기에, 베냐민만큼은 형들을 따라 이집트로 보내지 않으려고 합니다. 그런데 이때 다시 유다가 등장합니다. 그리고 유다가 충격적인 말을 합니다. 동생을 대신해서 자신이 **담보물**이 되겠다고 선언합니다. 창세기 43:9인데, 제가 한 번 읽어보겠습니다.

창세기 43:9, 개역한글
내가 그의 몸을 ′**담보**′하오리니
아버지께서 내 손에 그를 물으소서
내가 만일 그를 아버지께 데려다가
아버지 앞에 두지 아니하면 내가 영원히 죄를 지리이다

그렇게 베냐민을 요셉에게 데려갔고, 요셉은 돌아가는 베냐민의 자루에 점치는데 쓰는 은잔을 숨겨두었습니다. 그리고 베냐민을 돌려보내지 않겠다고 하자, 유다는 요셉 앞에 가서 자신이 베냐민의 **담보물**이라고, 아버지를 위해, 베냐민을

대신해 종이 되겠다고 요셉에게 이야기 합니다. 그래서 다시 유다가 자신의 신체를 담보물로 내놓는 장면이 44:32에 다시 반복됩니다.

창세기 44:32, 개역한글
주의 종이 내 아비에게 아이를 '담보'하기를
내가 이를 아버지께로 데리고 돌아오지 아니하면
영영히 아버지께 죄를 지리이다 하였사오니

그리고 이 말에 요셉은 오열하고, 그간 있었던 일을 형들에게 이야기 하게 됩니다. 아버지 야곱을 비롯한 모든 가족을 이집

트에 오게 함으로써, 야곱 가족은 그 할아버지 아브라함에게 하나님이 말씀하신 것처럼 타국 땅에서 살게 됩니다.[2]

    이상 이야기를 대강 읽어보니, 우리가 주일학교 때 요셉의 성공 스토리처럼 알고 있던 이야기는, 사실 초점이 요셉 뿐만 아니라 유다에게도 맞춰져 있음을 보게 됩니다. 즉 주인공이 두 명입니다. 그러니 이것을 요셉의 성공 스토리라는 통념으로 보면 요셉만큼이나 비중있게 다루고 있는 유다에 관한 내용이 붕 뜨게 될 것입니다.

요셉과 유다 이야기
창세기 37~47장

---

2 창세기 15:13, 새번역
주님께서 아브람에게 말씀하셨다. "너는 똑똑히 알고 있거라. 너의 자손이 다른 나라에서 나그네살이를 하다가, 마침내 종이 되어서, 사백 년 동안 괴로움을 받을 것이다.

요셉과 유다, 이 두 사람에게는 공통점이 있습니다. 둘 다 모두 인간성의 변화를 경험한 사람들이라는 점입니다. 형들의 잘못을 일러 바치던 요셉은 형들을 포용하는 사람으로 달라졌고, 유다는 자기 며느리의 처지를 생각하지 않고 오히려 며느리가 취한 담보물 때문에 곤란한 지경을 맞았지만, 끝내는 요셉을 팔았던 실수를 반복하지 않고, 동생 베냐민을 대신해 자

요셉
창서

**요셉의 꿈
이야기**

**유다의 족보
유다와 다말의
담보물 이야기**

신을 스스로 담보물 삼았습니다. 마치 두려움에 가족들 뒤로 숨었던 야곱이 얍복강에서 이스라엘이 되듯, 동생을 팔자고 제안한 유다는 동생을 위해 자신을 내어놓는 유다가 됩니다. 요셉이 자신이 총리가 된 것이 가족 전체를 위해서 하나님께서

이야기
~47장

셉이 이집트의
리 된 이야기

자신을 베냐민의
담보물로 내놓은
유다 이야기

그렇게 하신 것이라 고백하는 장면에서, 우리는 창세기의 하나님이 어떤 사람을 원하시는지 명확하게 알 수 있습니다.

요셉은
총리가 되기 위해서
고생한 거에요

요셉 이야기를
함께 읽어볼까?

따라서 누군가가 창세기 37장 이야기를 피상적으로 읽고, 엉뚱한 해석을 하고 있다면, 그것을 달리 생각할 수 있도록 도와주어야 합니다. 방법은 간단합니다. 요셉 이야기를 함께 읽어보는 것만으로 충분합니다. 진실한 읽기는 그 사람에게 생각을 바꿀 수 있는 기회를 제공할 수 있습니다.

열 두 지파에게 약속하신 내용을 아시나요?

두 번째 내용으로 넘어가봅시다. 창세기는 야곱의 열 두 아들을 통해 하나님께서 어떠한 일을 하실지, 대단히 구체적으로 보여줍니다. 물론 신천지 교인은 읽어본 적 없는 내용일 것입니다. 읽었더라도 크게 신경을 쓰지 않은 대목일 것입니다. 바로 야곱이 자신의 자녀들에게 유언하는 내용입니다.

야곱이 죽을 때가 다 되어 이제 자신의 아버지가 자신을 축복해주었듯이, 자녀들을 축복하려고 합니다. 그럼 이때 야곱 다음으로 장자의 권한은 누구에게 돌아갔을까요? 장자는 아브라함과 이삭과 야곱에게 하셨던 **언약의 계승자**가 됩니다. 그런데 이 맏아들의 권한은 장자인 르우벤에게 주어지지 않았습니다. 오히려 르우벤은 야곱에게 축복을 받을 때도 좋지 못한 평가를 받았습니다. 그리고 첫째의 권한은 요셉에게 주어졌습니다.

창세기 49:26, 새번역
너의 아버지가 받은 복은
태고적 산맥이 받은 복보다 더 크며,
영원한 언덕이 받은 풍성함보다도 더 크다.
이 모든 복이 요셉에게로 돌아가며,
형제들 가운데서 으뜸이 된 사람에게 돌아갈 것이다.

그렇다면 우리의 유다는 어찌 되었을까요? 요셉이 야곱의 극
진한 축복을 받고 장자의 권한을 계승했다면, 야곱은 유다에게
는 어떤 내용의 복을 빌어주었을까요? 아래의 구절들을 찬찬
히 읽어봅시다.

창세기 49:8~12, 새번역
유다야, 너의 형제들이 너를 찬양할 것이다.
너는 원수의 멱살을 잡을 것이다.
너의 아버지의 아들들이
네 앞에 무릎을 꿇을 것이다.

유다야, 너는 사자 새끼 같을 것이다.
나의 아들아,
너는 움킨 것을 찢어 먹고,

굴로 되돌아갈 것이다.
엎드리고 웅크리는 모양이
수사자 같기도 하고,
암사자 같기도 하니,
누가 감히 범할 수 있으랴!

임금의 지휘봉이
유다를 떠나지 않고,
통치자의 지휘봉이
자손 만대에까지 이를 것이다.
권능으로 그 자리에 앉을 분이 오시면,
만민이 그에게 순종할 것이다.

그는 나귀를 포도나무에 매며,
그 암나귀 새끼를 가장 좋은 포도나무 가지에 맬 것이다.
그는 옷을 포도주에다 빨며,
그 겉옷은 포도의 붉은 즙으로 빨 것이다.
그의 눈은 포도주 빛보다 진하고,
그의 이는 우유 빛보다 흴 것이다.

　장자의 권한은 요셉에게 있지만, 유다에게는 통치의 권한이
주어졌습니다. 그런데 야곱이 유다를 축복한 내용을 보면 좀
이상합니다. 단순히 유다가 잘 먹고 살 살기를 빌어준 것이 아

니라, 하나님께서 하실 일들에 관한 예언처럼 보이기 때문입니다. 특히 이 유다에게 주어진 복의 내용은 우리에게로 하여금 한 사람을 떠올리게 합니다. 요한계시록을 기록한 사도 요한은 이것을 놓치지 않았습니다.

요한계시록 5:5, 새번역
그런데 장로들 가운데서 하나가 나에게
"울지 마십시오. **유다 지파에서 난 사자**,
곧 다윗의 뿌리가 승리하였으니
그가 이 일곱 봉인을 떼고,
이 두루마리를 펼 수 있습니다"
하고 말하였습니다.

나중에 이 유다 지파에서 나오는 한 사람은, 요한계시록에서 언급됩니다. 요한은 이 사람이 유다의 축복 내용대로 오셨기 때문에 그이를 "유다 지파에서 난 사자"라 부릅니다. 그리고 유다에게 축복한 내용대로, 그 유다 지파에서 나신 사자가 만국을 통치하기 시작합니다.

요한계시록 12:5, 새번역
마침내 그 여자는 아들을 낳았습니다.

그 아기는 장차 쇠지팡이로
만국을 다스리실 분이었습니다.
별안간 그 아기는 하나님께로,
곧 그분의 보좌로 이끌려 올라갔고,

그리고 유다에게 축복한 내용대로, 그 유다 지파에서 나신 포효하는 사자는 자신의 옷을 포도주로 적십니다.

요한계시록 19:15
...그는 친히 쇠지팡이를 가지고
모든 민족을 다스리실 것이요,
**전능하신 하나님의 맹렬하신
진노의 포도주 틀을 밟으실 것입니다.**

그리고 유다에게 축복한 내용대로, 그 유다 지파에서 나신 통치자는 죽음의 세력을 쥐고 있는 사탄을 끝장내시고, 죽음의 종노릇하지 않고 살아가는 새로운 삶의 문을 여셨습니다.
이분은 다름 아닌, 메시아 예수이십니다. 즉 유다는 메시아 예수의 조상이 되었고, 그 유다에게 주어진 축복은 그 말 하나 하나가 곧 메시아 예수에 관한 예언이었던 것입니다.

히브리서 2:14,15, 새번역

이 자녀들은 피와 살을 가진 사람들이기에,

그도 역시 피와 살을 가지셨습니다.

그것은, 그가 죽음을 겪으시고서,

죽음의 세력을 쥐고 있는 자 곧 악마를 멸하시고,

또 일생 동안 죽음의 공포 때문에 종노릇하는 사람들을

해방시키시기 위함이었습니다.

마지막 날들에 있을 일들을 알려줄게

그리고 놀랍게도, 야곱은 자신의 자녀들에게 축복하기 전부터, 자신이 말할 내용들이 의미심장한 예언이라는 사실을 알고 있었던 것으로 보입니다.

창세기 49:1, 개인번역
야곱의 유언 야곱이 아들들을 불러 놓고서 일렀다.
"너희는 모여라. **마지막 날들에 올 것들에 관해**
내가 너희에게 말하리라"

이 "마지막 날들"이 다른 성경 본문들에서는 '종말', 혹은 '말세', 혹은 '세상 끝'이라는 다른 이름으로 불리지만, 모두 같은 의미입니다. **종말이란 야곱이 축복한 내용이 현실이 되는 시간을 의미합니다.** 그래서 저 유다에게 축복했던 통치의 권한을 받은 유다의 후손이 나타나 통치를 시작하시고, 아브라함에게 하셨던 약속을 이루기 시작하셨을 때를 성경이 "마지막 날"

이라 언표합니다. 이로써 우리는 오늘 우리가 살펴본 율법 이야기를 통해서 신구약 성경 전체를 조망해볼 수 있게 되었습니다. 창세기는 야곱의 축복으로 마무리 되고, 그 축복 내용 속 유다에 관한 내용은 곧 메시아 예수에 관한 내용이었습니다. 그 예수께서 통치를 시작하신 때가 바로 "종말", "마지막 날", "말세", "세상 끝"입니다.

3)
'종말'의 시간을
분명하게 말고 있을 것

"마지막 날들"

야곱의 축복 속
마지막 날들의 예언

율법

**유다 지파에서 나신
메시아 예수**

같은 내용을 히브리서가 정확히 보여주고 있습니다. 히브리서는 예수께서 십자가 죽음이 곧 사탄에 대한 심판이자, 죄인들의 죄를 용서하신 제사라고 말하는데, 그 예수께서 십자가를 지시기 위해 나타나셨던 시점을 가리켜 "세상 끝"이라 말하고 있기 때문입니다.

히브리서 9:26, 개역한글
그리하면 그가 세상을 창조할 때부터
자주 고난을 받았어야 할 것이로되
이제 자기를 단번에 제사로 드려 죄를 없게 하시려고
세상 끝에 나타나셨느니라.

즉 종말, 말세, 세상 끝, 마지막 날은 우리를 공포에 빠지게 하는 날이 아니라, 메시아 예수께서 예언대로 통치를 시작하신 율법 이야기의 결말을 의미하는 표현이었던 것입니다. 그리고 그 마지막 날 동안 메시아 예수의 인간성에 참여하여 그 유다 사자의 통치를 받는 이들을 **교회**라 부릅니다. 이들은 요셉과 유다와 마찬가지로 자신만 알던 인간성을 버리고, 스스로를 이웃을 위한 담보물로 여기는 이들입니다. 사도 야고보는 이러한 사람들을 가리켜 이렇게 부릅니다. "이스라엘 열 두 지파"라고 말입니다.

"열 두 지파"

**하나님과 주 예수 그리스도의 종인 야고보가
세계에 흩어져 사는 열 두 지파에게 문안을 드립니다.**

야고보서 1:1, 새번역

그럼 다시 이 친구를 생각해봅시다. 토막난 성경 이야기를 배우느라, 직접 성경을 읽어본 적은 없는지라, 하나님을 단단히 오해한 이 친구 말입니다. 우리는 이 사람에게 무엇을 해줄 수 있을까요? 신천지를 위한 고생이 아니라, 너의 인간성이 요셉과 유다처럼 달라져야 한다고 말해야 하지 않겠어요? 메시아 예수를 따르는 것은 바로 그것이라 말해줘야 하지 않을까요?

**신천지를 위한 고생과 핍박은
하나님이 일하는 방식이야**

**신천지에는
이긴 자와 열 두 지파가 있으니까
여기가 맞아**

**왜냐하면 1984년부터
종말이니까**

야곱의 축복 내용이 열 두 지파에 관한 예언이고, 따라서 그 예언대로 유다 지파의 사자를 따르는 신약 교회가 열 두 지파라는 내용을 한 번은 확인해 볼 수 있도록 우리가 계기를 마련해주어야 하지 않을까요?

종말이라는 시간이 1984년이 아니라, 십자가의 주님을 통해 예언이 성취되기 시작했음을 보여주는 성경적 용어라는 것을 확인시켜줘야 하지 않을까요? 이 친구가 하나님에 관한 오해 속에서 힘겨워하지 않도록, 하나님의 참 형상이신 예수 안에서 웃을 수 있도록 말입니다. 바로 성경 이야기의 주인공인 교회를 통해서, 곧 우리 자신들을 통해서 말입니다.

대강 읽은 해석을 꼼꼼한 해석으로 대체하기

1)
통념적인 해석을
경계하고 직접
읽어볼 것

2)
율법 이야기부터
꼼꼼하게 읽고
정리해 둘 것

3)
'종말'의 시간을
분명하게 알고 있을 것

 오늘 이야기를 마무리 합시다. 교회는 율법 이야기 안에서 자신이 누구인지 그 깊은 뿌리에서부터 확인하고, 그것을 잘 전달할 수 있도록 자신들을 준비시켜야 합니다. 이것이 교회의 책임이자 교회가 교회답게 빛날 수 있는 교회의 영광입니다. 저는 한 번 이야기하고 가지만, 여러분은 이 양천구에 남아서 성경 이야기의 담론을 형성할 수 있는 빛과 소금이 되시기 바랍니다. 그리고 그러기 위해서는,

- 자신의 통념대로 이해하던 해석을 경계할 필요가 있습니다. 내가 알고 있던대로가 아니라, 내가 직접 읽은대로 성경을 새로이, 구체적으로 이해해야 합니다.

- 그리고 그 시작은 율법에 있습니다. 창세기부터 신명기까지를 꼼꼼하게 정리하는 것부터가 시작입니다. 교회 공동체가 이 일을 함께 해나가길 바라고, 교역자분들이 적절한 도움을 주셨으면 합니다.

- 마지막으로 '종말'이라는 시간을 정확히 아는 것이, 교회가 갖는 세계관의 핵심이자, 우리의 시대정신입니다. 저 종말의 개념을 오해해서 헤매고 있는 이들에게 이정표가

되어주세요. 종말 속에서 메시아 예수를 따라 사랑의 통치에 참여한 사람답게 말입니다.

기도하겠습니다.

현장에서 강의했던 영상을
유튜브에서 보실 수 있습니다

세 번째 강의 이후

Q. 요셉 이야기를 '개인의 성공 스토리'로 읽는 것의 문제점에 관해 이야기 해봅시다.

Q. 신천지에서 말하는 요셉에 관한 해석을 적절히 비판해봅시다.

Q. 유다에 관한 야곱의 유언과 예수의 연관성을 정리해봅시다.

Q. "종말", "세상 끝"의 의미를 이야기 해봅시다. 이 단어에 관해 어떻게 알고 계셨나요? 이 단어가 오늘날 분열하고 증오하는 세상 속에 필요할까요?

4장.
오해된 토라, 그 잘못된 시작

*2021년 10월 24일 안동에 있는 동부 교회에서 설교한 내용입니다

　안녕하세요. 저는 종말론사무소의 윤재덕 소장이라고 합니다. 이렇게 초대해주셔서 감사합니다. 안동은 처음 와봤어요. 그러니 여러분이 제 첫 안동 친구들이고, 제 기억 속 안동의 얼굴들입니다. 교회들을 순회하며 형제, 자매들과의 우정 속에서 말씀을 나누었던 바울의 모양으로 저도 오늘 여러분들께 교회만이 할 수 있는, 교회가 마땅히 해야하는 이야기를 나누고자 합니다. 우리가 오늘 나누려는 이야기는 바로 이 사람에 관한 이야기입니다.

한국 교회를 향한 적대감

"한국 교회 = 바벨론 교회"

이 사람은 신천지 교인입니다. 여러분은 신천지 교인하면 어떤 생각부터 나시나요? 한국 교회를 위협하는 원수로 여기시는 분들이 많고, 또 그럴만도 합니다. 신천지 교인 역시 한국 교회를 향한 적대감을 가지고 있습니다. 한국 교회를 바벨론 교회라고 부르고 타도의 대상이라 생각하는 것이 그들 교리의 일부를 구성하기 때문입니다. 이렇게 한국 교회에 대해 비판적이고, 한국 교회를 악의 축으로 보는 적대감을 가진 이 사람의 이면에는 두려움이 있습니다. 다름 아닌 신천지 바깥에 관한 두려움이에요. 신천지는 선한 영이 다스리고, 신천지 바깥은 악한 영의 지배를 받는다고 교육받았기에, 신천지를 이탈하는 것은 영원히 저주를 받는 일이며, 불못에 빠지는 일이라고 겁을 먹었습니다. 그리고 이러한 사람들을 만들어내는 것이 신천지 지도부의 목적입니다.

겁을 주어 이탈을 막으려는 것은 사이비 이단의 공통인듯 합니다. 예전에 전도관이라는 곳에서도 지도부의 비리 사실이 언론에 알려진 후 더 이상 교인들이 통제가 되지 않자, 신천지와 같은 식의 대처를 했던 바 있습니다.

그럼에도 신천지 교인들은 자신들이 선택해서 신천지 안에 남게 되었다고 생각합니다. 그러나 이 말은 절반만 맞습니다. 왜냐하면 그 선택은 잘못된 내용들에 근거하고 있기 때문입니다. 그리고 그들의 적대감 역시 잘못된 교리에 의한 두려움에서 기인한 것일 뿐입니다. 진실을 모르기 때문에 갖게 된 **실체 없는 두려움**입니다. 그렇다면 기독교인의 상황은 나을까요?

신천지 교인이 교회에 거부감을 느끼듯, 이 기독교인도 신천지에 대한 강한 거부감이 있습니다. 신천지라면 무조건 거리를 두어야 하는 사람이라고 생각합니다. 그리고 이러한 거부감은 신천지에 관해 다른 사람들이나 매스컴에서 들었던 내용들로 인한 것입니다. 신천지는 실제로 이렇게 사람들이 거부감들 만한 일들을 해왔습니다. 자신들의 정체를 감추고 우연을 가장

해서 포교 대상에게 접근해왔습니다. 그리고 다수의 사람들이 한 사람을 노리고 연기를 하게 되면, 서로 친해져서 경계가 허물어지게 되고, 이로 인해 속수무책으로 많은 이들이 그 친밀하게 느껴지는 관계에 의해 포섭되었습니다. 정신을 차려보니 신천지 공부하는 자리에 앉아있게 되는 것이지요. 이런 식의 신천지 포섭 방법이 코로나 사태와 맞물리면서 우리나라를 큰 위기에 빠뜨렸습니다. 그 전에는 신천지야 포교를 하던 말던 관심없던 사람들도, 서로 신뢰하며 방역망을 구축해야 하는 상황 속에서 이 사회가 이웃과 서로 신뢰할 수 없게 되었을 때, 이것이 얼마나 큰 위기로 다가오는지를 깨닫게 되었습니다. 그래서 재작년과 작년, 신천지는 언론과 미디어의 핫한 키워드였습니다. 그런데 우리 생각해 볼 것이 있습니다. ′거부하고 두려워하는 것만으로는 ′이웃과의 신뢰′를 구축할 수 있을까요?′ 우리가 거부하고 두려워하는 대상으로서 신천지 교인 이미지를 가지고 있다면, 이것은 그들에 대한 온전한 파악이라 말할 수 있을까요? 그렇지 않지요. 오히려 더욱 문제를 악화시킬 뿐입니다. 신천지 교인들은 계속 치밀하게 속이려고 하고, 사회는 그 신천지 교인들을 거부하고 두려워했습니다. 그러나 교회는 이 사회 안에서 사회 전체가 더욱 신천지 교인들을 미워하도록 부추기는 역할을 자임했습니다.

우리는 이때 어느 옛 이야기를 기억할 필요가 있습니다. 예수께서 비판하셨던 것은 유대인 전체가 아니라 유대 지도자들이었습니다. 그 지도자들을 믿고 따르는 이들은 그들의 수족처럼 움직일지언정, 사실 불쌍한 사람들입니다. 자신이 얼마나 불쌍한지 모르는 불쌍한 이들입니다. 게다가 앞에서 언급했던 것처럼 오랫동안 신앙생활을 하다가 신천지 교인이 되었다면, 그 사람은 사실 성경 이야기에 관해 교회에서 제대로 배우지 못했기 때문에 그런 선택을 내렸다고 밖에 볼 수 없습니다. 그리고 신천지 교인들은 자신이 교회 생활을 했을 적에, 목회자의 비리와 성 문제등을 겪거나 보고서 교회에 실망했기 때문에 신천지를 선택할 수 있었다고 말하는 이들도 적지 않습니다. 그러므로 그러한 신천지 교인들은 두 번 속은 것이지요. 부패한 목회자에게 한 번 속고, 다시 이만희에게 속은 것입니다.

따라서 지금이라도 그들을 위해 제대로 된 이야기를 전달할 필요가 있고, 이 일의 책임과 영광은 오로지 교회만이 짊어질 수 있습니다. 진실한 이야기를 전하는 일은 교회의 본분이니까요. 그리고 신천지의 이탈자들이 급증하고 교세가 약화되었을 때 신천지를 경험했던 이들이 삶을 자포자기하거나, 하나님을 오해하고서 다시는 교회와 말씀을 거들떠보지도 않게 됩니다. 이러한 상황을 미연에 막아야 합니다. 우리는 지금 많은 이들이 자신이 속았다는 사실을 갑자기 깨닫게 될 위기 앞에 서 있습니다. 그런데 심판은 늘 구원과 함께 옵니다. 교회는 그들을 구원할 준비를 갖춰야 합니다.

일단 우리가 "신천지 교인"이라 말할 때, 그들은 어떤 사람일까요? 통상 "신천지 교인"이라고 말하지만, 사실 100명의 신천지 교인이 있다면 100개의 신천지가 있다고 생각하는 것이 편합니다. 즉 신천지 교인이라도 각자의 인생 이야기 안에서 신천지는 각기 다른 의미를 갖습니다. 그러니 그 사람이 신천지에 관해 어떤 경험을 했고, 어떻게 생각하고 있는지 직접 들어보는 것이 가장 좋습니다. 신천지에 관한 선입견을 가지고 그 사람을 먼저 판단하는 것은 별로 도움이 되질 않습니다. 그리고 그 사람의 삶에 관해 경청하지 않고서 자신의 입장을 따라 정해진 방법만을 고집한다면, 이 방법은 효과도 없을 뿐더러 그 사람에게 폭력이 될 수 있습니다. **시작은 내가 아니라, 그 사람에게 있습니다.** 그 사람이 경험한 신천지에 관해 묻고 그것을 파악하는 것이 먼저입니다. 그 사람은 교리를 말할지언정, 우리는 그 교리를 접했던 그 사람의 경험으로 돌아가야 합니다. 우리가 알고자 하는 것은 신천지의 교리 따위가 아니라, 그 교리와 얽혀있는 그 사람의 삶이기 때문입니다.

이제 우리가 주목하려는 것은, ′신천지 교인이 처음 성경 이야기를 접하는 단계′ 입니다. 그 단계가 바로 저 ′복음방′이라 불리는 단계입니다. 복음방은 일대일 성경 공부인데, 저 복음방에서 성경 이야기를 가볍게 접하고, 이어지는 ′센터′라 불리는 6개월 이상 신천지 교리를 밀도있게 배우는 과정으로 넘어가게 됩니다. 이 복음방 과정을 겪은 이들은 ′너무 좋았다′고 말합니다. 모두의 경험을 일반화할 수 없기에, 아니라는 사람도 있겠습니다만, 대개 복음방 경험에 관해 좋게 생각합니다. 주변에 신천지 교인이 있다면, 이 복음방 경험이 어떠했는지부터 이야기를 나눠볼 수 있겠지요. 그리고 오늘 강의는 여러분이 걱정없이 그들과 대화에 임할 수 있도록 돕는데 목적이 있습니다.

신천지가 지난 30여년간 몸집을 불릴 수 있었던 것은, 저 복음방 단계에서는 문제를 발견하지 못하고 센터로 넘어가는 이들이 부지기수였기 때문입니다. 그런데 사실은 저 복음방 단계에서부터 신천지 교리의 기본 전제들이 모두 깔려있음에도 불구하고, 기독교인들조차도 발견하지 못하고 포섭 당하기도 했습니다. 그럼 이 복음방 단계에서 무엇을 가르치는지 한 번 봅시다.

신천지의 포섭 과정 ⇨

노방 (길거리 만남)	인터뷰 세미나	상담	복음방	센터

아담/노아
아브라함
야곱
요셉
모세
여호수아
성경개론

익숙한 이름들이 보이실 거에요. 이 이름들은 모두 성경의 첫 다섯권에 등장합니다. 그리고 우리는 이 성경의 첫 다섯권을 가리켜 '모세오경'이라 부르기도 하고, 성경 안에서는 '율법'이라는 이름이 붙어 있습니다. 창세기부터 신명기까지의 이야기를 말하는 이 율법은 성경 전체를 이해하기 위한 첫걸음이자, 여기에서 성경 전체를 보는 관점이 결정됩니다. 이 율법이 오죽 중요했으면, 예수께서는 이 율법이 일점일획도 없어지지 않고 모조리 이뤄진다고 하셨고, 바울은 그리스도는 이 창

세기부터 신명기까지의 이야기의 결말이라고 이야기할 정도였습니다.

신천지의 복음방 교육 내용은 이 율법부터 건드려 놓습니다. 그도 그럴 것이 율법의 왜곡, 율법에 대한 오해, 율법을 잘못 가르쳐놓아야만 이만희씨를 결론으로 하는 신천지 교리를 말할 수 있기 때문입니다. 이 말은 반대로, 율법에 대해 잘 알고 있다면 신천지 교리의 허위 정도는 어렵지 않게 알 수 있다는 말이기도 합니다. 그리고 이것은 동시에 한국교회가 그간 율법에 관해 무지했기 때문에, 이 한국교회의 율법에 관한 무지를 틈타고 신천지를 비롯한 성경을 왜곡하는 이단들이 늘어났다는 말이기도 합니다. 율법의 첫단추를 제대로 끼고 있다면, 사실 신천지 이야기에 설득될래야 될 수 없었을텐데 말입니다.

그래서 저는 이제 여러분에게 신천지에서 '복음방'이라 불리는 첫 교육 과정에서 율법을 어떻게 다루고 있는지를 보여드리려고 합니다. 그리고 저 내용들 중에서도, 오늘 안동 동부 교회에서는 '모세'에 관련된 내용만을 다룰 것입니다. 그 앞에 있는 내용들은 이미 거쳐왔던 다른 교회들에서 강연했던 내용이고, 오늘 강의는 그 강의들에 이어지는 연속강의입니다. 유튜브에서 확인할 수 있으니, 관심있는 분들은 확인해보시기 바랍니다. 그럼 먼저 일단 신천지 복음방 교육 내용에서 '모세'를 어떻게 가르치는지, 또 그 내용 속에는 어떠한 함정이 있는지를 확인해봅시다.

신천지 복음방에서의 모세

  우리의 이웃이 신천지 복음방을 경험할 때 '복음방 교사'라 불리는 신천지 교인으로부터 듣는 모세와 관한 내용은 다음과 같습니다.

(1) "성경은 나 자신을 위한 책이야"

먼저 신천지 복음방에서는 모세의 일생을 간단하게 요약합니다. 야곱 가족 70명이 이집트로 들어가게 되었고, 그 안에서 인구가 불어나게 되었고, 요셉을 모르는 파라오가 등극하여 이스라엘이 이집트 안에서 고된 노역을 하게 되었다는 이야기, 즉 교회에서 쉽게 들을 수 있는 이야기를 들려줍니다. 그리고 하나님이 모세를 찾아온 장면, 불 붙었으나 타지 않는 떨기나무에서 말씀하신 하나님 이야기를 들으면, 이 복음방 과정에 참여한 사람은 교육 내용에서 이상한 것을 발견하기란 어려운 일입니다. 일반교회와 크게 다르지 않은 이야기이니까요.

다만 신천지 교육 내용에서는 '말씀과 나와의 관련성'을 찾아야 한다는 점을 강조합니다. '나는 어떤 사람일까?' 라는 질문을 계속 던지고, 성경과 자신의 관련성을 찾도록 합니다. 예컨대 이런 것이지요. 하나님이 모세를 찾아오셔서 이스라엘을 구출하라고 하셨지만, 모세는 핑계가 많았습니다. 그러나 하나님의 손에 붙들리자 그 핑계 많았던 모세조차도 이스라엘의 위대한 지도자가 되었다고 말입니다. **그리고 이 이야기를 직접**

듣는 이에게 적용시킵니다. '핑계가 많았던 너도, 하나님 말씀에 순종하면 모세처럼 큰 사람이 될 수 있다'는 식으로 말입니다.

(2) "너의 상황에 맞추어 해석해봐"

이뿐 아니라 '너의 애굽은 무엇일까?', '너의 가나안은 무엇일까?' 같은 질문을 던지고 각자의 상황에 맞춰 답하게 합니다. 이때 '애굽'은 신천지 교육을 받는데 있어서 방해가 되는 무언가가 되고, 가나안은 복음방 이후의 센터 수업이라 말하도록 유도합니다. 우리가 앞에서 말한 1)번 내용과 연결되면, 자연스럽게 말씀을 통해서 달라진 내가 되기 위해서는, 복음방 이후에 6개월간의 센터 수업을 들어야 한다는 결론으로 흐르게 됩니다.

이렇게 성경 내용을 직접 자기 자신에게 적용하는 것은 제대로 된 성경 해석이 될 수 없습니다. 그러나 교회도 큐티라는 이름으로 많이 이렇게 해왔지요. 그래서 이 내용을 듣는 기독교인은 전혀 문제를 발견하지 못하고, 일반인은 더더욱 알 수 없습니다. 이 자기 중심적 해석의 문제에 관해서는 뒤에서 자세히 말씀드릴게요.

그러는 와중에 신천지 복음방 경험자는 많은 구절들을 복음방 교사로부터 듣게 됩니다. 그런데 정작 그 구절들을 면밀히 확인할 여유는 없고, 확인하더라도 그 구절이 포함되어 있는 성경 전체를 읽어보고서 신천지 교인이 되는 사람은 없습니다. **그저 판단의 권한을 가르치는 이에게 맡겨두고,** 자신은 전체를 여전히 모른채, 지금 배우고 있는 내용이 맞을 것이라고 대강 짐작할 뿐입니다. 그리고 다음 과정으로 빠르게 넘어갑니다.

신천지 복음방 교육 내용 : 모세편

- **"말씀과 나와의 관련성을 찾아보자"**
  예) 핑계 많던 모세도 지도자가 될 수 있었어. 너도..

- **"너의 애굽은, 너의 가나안은 무엇일지 생각해보자"**

- **"아브라함 언약이 모세 때 이뤄졌어.**
  이게 신이 존재한다는 증거야."

(3) "아브라함 언약이 모세 때 이뤄졌어"

그리고 모세와 관련해서 신천지에서 꼭 가르치는 핵심 내용은, 하나님께서 하신 아브라함 언약이 모세 때 모두 성취되었다는 내용입니다. 땅을 주시겠다고 했기에 가나안 땅을 얻었고, 하늘의 별과 같은, 바다의 모래 같은 많은 자손을 주시겠다고 했기에 이스라엘이 이집트에서 번성했으며, 400년만에 이방 땅에서 재물을 끌고 나온다는 하나님의 약속이 마침내 모세 때 이뤄진 것이라는 점을 반드시 이야기 합니다. 즉 아브라함에게 하신 언약이 모세 때 모두 이루어졌고, 따라서 이러한 약속과 성취가 있다는 사실이 곧 신이 있다는 증명이라고 이야기 합니다.

성경은
'나'를 위한 책이야

나는 다 읽어보진 않았지만,
강사님 말이 틀림 없겠지

아브라함 언약은
모세 때 이뤄졌구나

여러분은 이 대목에서 잘못된 점을 눈치 채셨나요? 만일 여러분이 이러한 이야기를 들었다면 무엇이라 반박하시겠어요? 많은 이들이 반박은 커녕, 복음방에서의 경험을 통해 이 내용들을 좋은 기억으로 가지고 있습니다. 사실 문제는 여기서부터 시작된 것인데 말입니다.

내용보다 관점 먼저

　그럼 이제부터 하나씩 저 신천지 교인이 교육받은 모세 이야기를 뜯어보겠습니다. 신천지라고 해서 폄하하지 않고, 최대한 객관적인 입장을 가지고 하나하나 근거들을 확인해보자는 것입니다. 기독교는 옳고 기독교를 공격하는 쪽은 틀려라는 축구장의 진영논리를 내려놓고, 우리는 오래된 옛 이야기로 돌아갈 필요가 있습니다. 신천지 교인도 인용하고, 오늘 우리도 사랑하는 그 옛 이야기에서 진실을 발견하는 것이 이 모든 문제 해결의 시발점입니다.

　아까 신천지 복음방에서의 모세 이야기가 여러분에게는 어떠셨나요? 자세히 들여다보지 않으면, 그 내용은 마치 성경 이야기를 그저 풀어주는 것으로 보입니다. 하지만 신천지의 성경 해석은 심각한 문제를 갖고 있습니다. 그 문제란 일부 내용 정도가 아니라, 성경을 보는 관점 자체가 성경을 제대로 읽을 수 없게 만든다는 점에 있습니다. 어느 전망대에 서서 산세를 보느냐에 따라 같은 산이라도 완전히 다른 전경을 보여줄 것입니다. 이와 마찬가지로 성경을 볼 때는 '누구의 눈으로 성경을 보느냐?'가 무척 중요합니다. 신천지 복음방에서는 사람들의 흥미를 끌기 위해 성경을 **'자신의 관점'**으로 성경을 보게 만듭니다. 성경을 처음 접하는 사람이나, 성경에 관해 설익게 알고 있던 이들은, 성경처럼 오래된 글을 자신의 관점에 직접 적용을 해도 이게 문제라는 생각을 하기 어렵습니다. 오히려 성경과 자신이 상관있다는 사실에서 신기함을 느낍니다. 그런데 사실 그것은 진실에 기반을 둔 신기함은 아닙니다. 그렇게 자신의 관점으로 성경을 보는 것을 익숙하게 만들고, 종국에는 이만희씨의 관점으로 성경을 보게 만드는 것이 신천지식 교육의 목적입니다. 신천지 경험자에게는 제가 사용한 '관점'이라는 말보다는 '의중'이라는 말이 익숙할 거에요. 신천지 안에서 '총회장님의 의중을 헤아려야 한다'라고 숱하게 듣게 되니까요. 이 말은 자신의 상황과 성경을 이만희씨의 입장에서 해석하라는 말에 다름 아닙니다. 저 말은 신천지 교인들로 하여금 이만희씨의 거짓말들을 스스로 정당화하게 만들고, 때로는 '의중을 제대로 헤아리지 못한 내 잘못'이라고 자책하게 만듭니다.

성경은 나의 관점이나, 이만희씨의 관점으로 볼 수 있는 책이 아닙니다. 성경을 비롯한 이 세상의 모든 글은 그 글이 기록된 상황과 그 글을 기록한 기록자의 입장을 반영합니다. 즉 글을 읽는 바른 자리는 기록자와 기록자가 살던 시절입니다. 바로 그 자리에서만 성경이 그려내는 진실하고 아름다운 전경을 즐길 수 있습니다.

따라서 우리가 성경의 첫 책인 '율법'을 읽으려한다면, 우리는 이 율법을 기록한 한 사람을 떠올려야 합니다. 바로 모세입니다. 하나님으로부터 천사를 통해 이 율법 이야기를 전달받은 모세의 입장에서, 모세가 전달하는 말을 듣던 광야의 이스라엘의 입장에서 읽어야 하는 것이 바로 이 창세기부터 신명기까지의 책입니다. 글의 기록자와 시대는 글이라는 금고를 여는 열쇠와 같습니다. 저는 토라를 읽으면서도 모세의 입장은 치워두고, 그저 자신의 입맛대로 창세기부터 신명기를 읽는 교인이나 목회자들, 심지어 학자들을 봐왔습니다. 참으로 개탄스러운 일입니다. 하나님은 모세를 통해 우리에게 율법을 주셨으나, 사람들은 모세는 치워두고 스스로 모세의 자리에 자연스럽게 착석합니다. 그러나 이것은 사도들이나 초기 교회의 입장이 아니었습니다.

갈라디아서 3:19, 새번역
그러면 율법의 용도는 무엇입니까?
율법은 약속을 받으신 그 후손이 오실 때까지
범죄들 때문에 덧붙여 주신 것입니다.
그것은 천사들을 통하여, **한 중개자(모세)**의 손으로 제정되었습니다.

사도행전 7:38, 새번역
이 사람(모세)은,
이스라엘 백성이 광야에서 회중으로 모여 있을 때에,
시내 산에서 그에게 말하는 천사와 우리 조상들 사이에

중개자가 되어서, 산 말씀을 받아서 우리에게 전해 준 사람입니다.

이 구절들은 사도들이 이해하고 있었던 율법이 무엇인지를 보여줍니다. 율법은 하나님이 천사들을 통해 모세에게 전달해 준 이야기입니다. 하나님은 모세의 시각, 모세의 환경, 모세의 입장, 모세의 말을 통해서 자신의 뜻을 드러내고자 하셨습니다. 그래서 율법에는 모세의 흔적이 묻어납니다. 아래 구절을 봐주세요.

창세기 2:23~3:1, 새번역
그 때에 그 남자가 말하였다.

"이제야 나타났구나, 이 사람!
뼈도 나의 뼈, 살도 나의 살,
남자에게서 나왔으니 여자라고 부를 것이다."

그러므로 남자는 아버지와 어머니를 떠나,
아내와 결합하여 한 몸을 이루는 것이다.
남자와 그 아내가 둘 다 벌거벗고 있었으나,
부끄러워하지 않았다. 뱀은,
주 하나님이 만드신 모든 들짐승 가운데서
가장 간교하였다. 뱀이 여자에게 물었다.

"하나님이 정말로 너희에게,

동산 안에 있는 모든 나무의 열매를 먹지 말라고 말씀하셨느냐?"

잘 알려진 아담과 하와 이야기입니다. 그런데 중간에 보면, 갑자기 불쑥 "남자는 아버지와 어머니를 떠나, 아내와 결합하여 한 몸을 이루는 것이다"라는 내용이 나옵니다. 이 본문을 보고 신천지 강사는 아담에게 아버지와 어머니가 있겠느냐며, 창세기는 비유라는 결론으로 급히 항하려고 합니다. 그러나 율법을 모세가 전달하고 있다는 사실을 상기하는 것만으로도 이 문제는 쉽게 해결됩니다. 아래 그림이 보여주듯, 아담과 하와 이야기가 진행되다가 갑작스레 등장한 남자와 여자의 결혼 이야기는 창세기 해설자인 모세의 첨언이기 때문입니다. 즉 아담

창세기 2:23~3:1, 새번역

그 때에 그 남자가 말하였다.
"이제야 나타났구나, 이 사람! 뼈도 나의 뼈, 살도 나의 살,
남자에게서 나왔으니 여자라고 부를 것이다."

> 그러므로 남자는 아버지와 어머니를 떠나,
> 아내와 결합하여 한 몸을 이루는 것이다.

남자와 그 아내가 둘 다 벌거벗고 있었으나,
부끄러워하지 않았다.
뱀은, 주 하나님이 만드신 모든 들짐승 가운데서
가장 간교하였다. 뱀이 여자에게 물었다.

과 하와 이야기를 진행하다가, 모세는 불쑥 끼어들어 바로 이것이 결혼의 기원이라며 광야의 이스라엘에게 말을 건넨 것이지요.

그리고 지금 우리가 보고 있는 이 말씀을 예수님이 인용하시기도 합니다.

마태복음 19:4~6
예수께서 대답하셨다.
"사람을 창조하신 분이
처음부터 그들을 남자와 여자로 지으셨다는 것과,
그리고 그가 말씀하시기를
'그러므로 남자는 아버지와 어머니를 떠나서,
자기 아내와 합하여서 둘이 한 몸이 될 것이다'
하신 것을, 너희는 아직 읽어보지 못하였느냐?
그러므로 그들은 이제 둘이 아니라 한 몸이다.
하나님이 짝지어 주신 것을 사람이 갈라놓아서는 안 된다."

그런데 예수님은 이 말씀을 "사람을 창조하신 분의 말씀"이라 말하고 있습니다. 즉 예수님은 하나님의 계시를 받아 모세가 자신의 입장으로 기록한 말씀을, 곧 하나님의 말씀으로 이해하십니다. 실제로 광야의 이스라엘은 모세의 말을 하나님의 말처럼 들었고요. 즉 하나님은 인간 기록자를 통해서 자신의 뜻을 충실히 전하셨습니다. 따라서 우리는 율법을 모세의 입장에서 읽는 것이, 율법을 주신 하나님의 뜻을 이해하는 것임을 다시금 확인합니다.

모세의 말 = 곧 하나님의 말씀

마태복음 19:5,6, 새번역
사람을 창조하신 분이 말씀하시기를,

> 그러므로 남자는 아버지와 어머니를 떠나, 아내와 결합하여 한 몸을 이루는 것이다.

하신 것을, 너희는 읽어보지 못하였느냐?
…
하나님이 짝 지어주신 것을 갈라놓아선 안된다.

　그러나 모든 이단은 이 **인간 기록자의 입장**을 못마땅해합니다. 대신 인간 기록자의 입장이 아니라, 계시를 받았다는 교주의 입장에서 성경을 읽으려고 하지요. 그리고 신천지는 교주의 입장을 소개하기 전에 매력적인 올무를 설치했습니다. 바로 율법을 읽으면서도 모세의 입장을 자연스럽게 치워버리고,

그 자리에 '나'를 가져다 두는 것입니다. 그리고 이렇게 읽게 되면 성경은 제 맘대로 읽혀지는 아무 것도 아닌 것이 되어버립니다. 그리고 그 성경 해석의 자리를 이만희씨가 꿰차도록 1년에 걸친 교육 프로그램을 만든 것입니다.

예전에 제가 저희 동네 기도 모임을 만들어 운영했던 적이 있습니다. 성경을 읽고 함께 지역 사회를 위해 기도하는 모임을 만들었는데, 그때 여호수아 1장을 읽게 되었어요. "두려워말라 담대하라" 라는 구절이 나오는 대목이었는데, 이 말씀을 읽고 그 자리에 모인 사람들이 나눈 내용은 각기 제멋대로였습니다. 수능 시험을 앞에 두고 있는데 두려워하지 않게 해주세요. 공무원 시험에도, 어제 감기에 걸렸는데 등등. 자신이 걱정하고 있는 모든 순간에 저 구절이 적용되었습니다. 누구도 가나안 땅을 앞에 두고 있는 여호수아와 이스라엘의 입장을 생각해 보지 않았고, 저는 그 자리에서 절망했던 기억이 납니다.

큐티도 같은 위험에 노출되어 있습니다. 교회는 큐티를 통해서 성도들이 나의 입장, 나의 상황으로 성경을 보지 않도록 장려할 것이 아니라, 오히려 주의하도록 교육해야합니다. 성경을 기록자의 입장에서 읽는 것은 성경 읽기의 기본인데, 안타깝게도 이것이 교인들에게조차 낯선 것이 되었습니다. 즉 성경을 자신의 입장에 따라 읽던 것은 사실 **신천지만의 문제가 아니라, 한국교회의 문제이기도 했던 것입니다.** 내 관점, 내 상황, 내 생각에 입각으로 성경을 읽으려는 무익한 시도 말입니다. 이 잘못된 독법에 관해서는 이미 2000년전 베드로가 경고하기도 했습니다.

베드로후서 1:20, 21, 새번역
여러분이 무엇보다도 먼저 알아야 할 것은 이것입니다.
아무도 성경의 모든 예언을 **제멋대로** 해석해서는 안됩니다.
예언은 언제든지 사람의 뜻에서 나온 것이 아니라,
사람들이 성령에 이끌려서 하나님께로부터 오는 말씀을
받아서 한 것입니다.

　여기서 "제멋대로 해석하지 말라"는 말은, 성경은 신성한 책이니까 일반인은 해석할 수 없고, 목회자나 특별한 한 사람만 해석할 수 있다는 말이 아니었습니다. 베드로는 오히려 이 예언의 말씀을 세심히 이해해야 한다고 말했습니다. 그러나 "제멋대로", 즉 "자기 관점으로", "자기 자신에 관한 것"으로 오해하지 말라는 것입니다. 성경을 읽는 것은 좋지만, 그 중심이 나에게 있다면 그 읽기는 아무 내용이 되기 때문에, 오히려 성경을 읽는 '나'는 나에 가려져 성경을 통해서 중요한 내용을 발견 수 없게 됩니다. 예언은 성령에 이끌려 하나님께로부터 오는 말씀을 사람이 받아서 한 것이고 그것을 기록으로 남긴 것이므로, 반드시 그 성령에 이끌린 사람의 입장을 반드시 고려해야 합니다. **그러니 성경을 볼 때는 극장에 들어간다고 생각하면 좋습니다.** 잠시 나의 삶을 떠나서, 당시 그 사람과 그 시절로 돌아간다고 생각해야 비로소 이 과거의 글은 열리고 제 의미를 보여줍니다. 율법을 대할 때, 모세와 관련된 영화를 본다는 생각으로 읽어보면 어떨까요? 그래야 모세에게 자신을 계시하신 하나님, 모세를 통해 이스라엘에게 이스라엘에게 자신의 말씀을 전하게 하신 하나님을 바르게 상상할 수 있습니다.

그러나 이렇게 교회는 '읽기'에 실패했고, 신천지 역시 같은 실패 위에 탑을 쌓을 때, 교회는 이 심각한 문제를 발견하지 못했습니다. 따라서 오늘날의 신천지 현상은 교회가 제대로된 성경 읽기의 모범을 제시하지 않았기 때문에 생긴 한국교회의 질병과도 같다고 할 수 있습니다.

앞에서 신천지 복음방에서 다루던 모세에 관한 내용을 기억해봅시다. '모세는 핑계가 많았지만, 하나님에 의해서 지도자가 되었어. 너도 그렇게 될 수 있어' 따위의 메시지는 성경의 메시지가 아니란 것을 쉽게 알 수 있지요? 이런 해석에는 모세의 입장은 사라지고, '나'만이 남아있습니다. 모세는 자신의 이야기를 이스라엘에게 전하면서, '야, 너도 핑계대지 말고 말씀에 따르면 지도자가 될 수 있어' 따위를 전하려는 의도가 조금도 없었습니다. 그러니 이렇게 모세의 이야기를 자신의 이야기로 오해하는 사람에게는 적절한 소개가 필요합니다. 모세의 입장에서 당대 상황을 상상해가며 토라부터 읽어보자는 소개 말입니다.

성경은
나를 위한
책이에요

모세의 눈으로
창세기부터 읽어보자

전체, 직접

성경을 보는 관점에 이어 신천지 복음방의 두 번째 맹점은 학습자가 성경 전체를 직접 읽어보지 않는다는 것입니다. 정확히는 그럴 여유가 없습니다. 자신을 가르치는 복음방 교사는 다 읽어봤을 것이라 믿고 있지만, 정작 가르치는 사람이나 배우는 사람이나 성경 전체를 직접 읽어본 적이 없는 교육이 복음방입니다. 복음방 교사는 그저 앵무새처럼 준비된 몇 가지 질문들과 그릇된 답변들만을 가지고, 이러한 교육이 기독교보다 우월하다는 착각을 공유하고자 합니다. 예컨대 이런 질문을 신천지 교인의 입에서 쉽게 들어볼 수가 있습니다.

"창세기에서 뱀이 말을 하는 게 말이 되나요?
그러니 창세기의 뱀은 실제 뱀이 아니라 비유입니다"

이러한 질문에 교인들이 자발적으로 신천지 교육을 듣겠다고 하는 일이 벌어졌습니다. 그리고 많은 교인들이 신천지의 일부가 되었습니다. 이것은 사실 교회 교육의 수준을 보여주는 것이기도 합니다. 그러나 우리가 영화를 한 편 보더라도, 그 영화의 예고편만 보고서는 그 영화가 전달하려는 의미도 제대로 알 수 없고, 또 그 영화를 논평한다는 일은 더더욱 불가능한 일입니다. 영화도 그럴진대 하물며 성경은 어떻겠습니까? 창세기에서부터 신명기는 하나의 이야기입니다. 이 이야기를 직접, 그리고 전체를 봐야 합니다. 그러고나서야 비로소 이 내용이 이러쿵 저러쿵 이야기할 자격을 얻을 수 있습니다.

우리는 일단 저 질문이 왜 잘못되었는지 이제 알게 되었습니다. 우리가 방금 이야기 했던 원칙은 무엇이었지요? 성경은 누구의 관점으로 봐야한다? 그렇지요. 기록자의 관점! 그러니 율법을 읽을 때는 우리는 모세를 잊어선 안됩니다. 그런데 저 질문은 모세의 입장을 쏙 빼놓고 그저 나의 호기심만을 자극할 뿐입니다. 뱀이 말을 하는 것이 말이 되는지 안되는지는 '나'의 관점이 아니라, '모세'의 입장에서 생각해봐야 합니다. 내 입장에서 말이 안된다고 모두 비유로 읽는 것은 성경을 자기 기준으로 난도질하는 것이나 다름 없습니다. 모세는 말하는 뱀에 관해 어떻게 생각했을지는 조금 뒤에 이야기 하도록 합시다. 성경 읽기의 두 번째 중요한 원칙을 먼저 말씀을 드려야 하니까요. 두 번째 원칙은 **"직접, 전체"**입니다. 누군가의 말이 솔깃하더라도 결정을 유보하고 반드시 전체를 직접 읽어볼 여유를 확보해야 합니다.

성경 전체를 직접 읽어보려는 독자를 위해 제가 유용한 팁을 하나 드릴게요. **성경은 두 번 읽어야 제 맛을 느낄 수 있는 책입니다.** 일단 아무 해설서 없이 모세 오경을 읽어갑니다. 모세와 광야를 유랑하는 백성들을 상상하면서 말입니다. 처음 읽을 때는 온갖 질문들이 나올 수 있습니다. 그 질문들을 그때그때 해결하느라 골머리를 싸매지 마시고, 그저 깔끔하게 메모하고 잘 모아두는 것이 중요합니다. 그 질문들이 성경에 관한 오해에서 나온 것이라도 상관없습니다. 사람은 누구나 **오해**를 통해 **이해**하기 마련이니까요. 이 질문들은 내가 직접 성경에 부딪쳐보았기에 얻은 귀한 질문들입니다. 그 질문들을 잘 모아두며 빠르게 내용 위주로, 사건 위주로 읽고 노트에 간략하게 정리하며 넘어갑니다. 그렇게 모세의 입장을 상상해가며, 창세기에서부터 신명기를 완독해보는 것이지요. 처음 하시는 분들은 넉넉잡고 한 달이면 충분한 시간입니다.

그리고 그 다음은 다시 읽기(재독)입니다. 그리고 이번에는 앞에서 던져두었던 질문들 위주로 읽어나갑니다. 이때 비로소 성경 해설서들을 유용하게 사용할 수 있습니다. 혼자 읽어본 적이 없는 사람에게 해설서는 지루하기 짝이 없겠지만, 자기 질문이 있는 사람에게 해설서는 즐거운 대화 상대가 될 것입니다. 또 이 단계는 교회에서 지식으로 봉사하는 이들을 적극 활용해야 하는 단계입니다. 교회에 목사, 전도사 두었다 뭐하나요. 가서 궁금한 것들 물어보고 대화하며 질문들을 해결하며 두 번째 읽는 작업입니다. 이렇게 처음은 '질문들을 수확하는 읽기', 두 번째는 '질문들의 열매를 까보는 읽기', 이렇게 두 번을 권해드립니다.

성경 읽기의 방법

* 처음 읽을 때 (질문들 수확 하기)
 : 이야기가 말하는 당시를 상상하며,
  기록자의 관점으로, 사건 중심으로 빠르게 정리하며 읽기
  (이때 떠오르는 질문들을 차곡차곡 기록해 둘 것)

* 다시 읽을 때 (수확한 것들 까보기)
 : 질문들 중심으로 놓친 것이 없나 보며 꼼꼼하게 읽기

그런데 직접 율법 전체를 읽는 것 자체가 막막하게 느껴지는
것도 사실입니다. 이때 지도 같은 것이 있으면 좋겠지요. 일단
율법 이야기를 요약하는 그림을 제가 책의 서두에 그려두었습
니다. 이 그림을 직접 그리면서 대강의 얼개를 파악하는 것이
유용하리라 생각합니다. 그리고 우리는 유대인들의 글쓰기 방
식에서 힌트를 얻을 수 있습니다. 유대인들의 글쓰기 방식을
보면 가장 중요한 것을 가운데 두고, 이것이 페스츄리처럼 겹
겹이 쌓이는 방식으로 글을 썼습니다. 그래서 가장 중요한 것
은 늘 가운데에 있습니다. 그럼 여러분 생각해보세요. 창세기,

출애굽기, 레위기, 민수기, 신명기에서 가장 중요한 이야기는 어디에 쓰여있을까요?

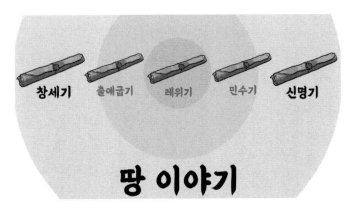

그렇습니다. 레위기입니다. 이 레위기를 출애굽기과 민수기가 둘러싸고 있고, 이 두 책은 이스라엘의 광야 여정을 말하고 있습니다. 그리고 다시 이 내용을 창세기와 신명기가 둘러싸고 있지요. 이 창세기와 신명기는 모두 땅 이야기를 하는 책입니다. 창세기는 땅을 잃어버리고 떠돌아다니는 이야기, 신명기는 다시금 땅을 얻기 직전의 모세의 설교를 담은 책입니다. 그리고 이상의 내용은 저 동심원들로 구성된 이미지가 보여주듯, 레위기를 중심으로 하나의 이야기를 구성하고 있습니다.

그런데 이 모세가 기록한 이야기에 보면, 창세기에 신천지 교인이 호기롭게 질문했던 말하는 뱀 이야기가 나옵니다. 그런데 마찬가지로 모세가 기록한 민수기에 보면 이러한 대목이 있습니다.

민수기 22:30, 새번역
나귀가 발람에게 말하였다.
"저야말로 오늘까지 어른께서
늘 타시던 어른의 나귀가 아닙니까?
제가 언제 이처럼 버릇없이 군 적이 있었습니까?"

발람과 그의 나귀가 대화하는 장면입니다. 동물이 말하는 장면이지요. 이 내용은 심지어 비유도 아닙니다. 그저 이야기 속에서 발람과 나귀는 대화하고 있고, 모세는 이것을 기록으로 남겼습니다. **그렇다면 이런 질문을 던져볼 수 있겠지요.**

´모세의 입장에서 동물이 말하는 것은
결코 일어날 수 없는 불가능한 일이었을까?´

그렇지 않지요. 적어도 이 창세기부터 신명기까지의 이야기가, 모세에 의해서 쓰여졌다는 사실을 알고서 전체를 읽어봤다면, 뱀이 말을 할 수 없으니 비유가 아니겠느냐는 허망한 소리에 설득되지 않았을 것입니다.

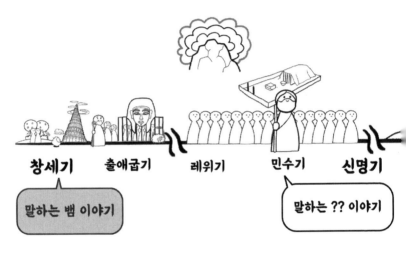

따라서 '말하는 뱀은 있을 수 없으니, 성경은 이만희씨의 가르침대로 비유로 읽어야 한다'고 말하는 우리 주변의 신천지 교인이 있다면, 우리는 이렇게 오히려 말해줘야만 합니다.

'나 중심'이 아니라 당시의 계시받은 자와 이스라엘의 관점으로 성경을 읽는 훈련이 필요하다고 말입니다. 교회는 이것을 위해 있습니다. 옛 이야기를 읽고 그 이야기를 지역 사회에 전달하는 역할 때문에 교회가 세워졌습니다. 그리고 이 역할을 잘 감당하기 위해서는 성경 전체를 읽어내는 과정이 반드시 필요합니다.

언약, 세심하게

우리는 베드로에게서 배움을 얻습니다.

베드로후서 1:19, 새번역
또 우리에게는 더욱 확실한 예언의 말씀이 있습니다.
여러분의 마음 속에서 날이 새고 샛별이 떠오를 때까지,
여러분은 어둠 속에서 비치는 등불을 대하듯이,
이 예언의 말씀에 주의를 기울이는 것이 좋습니다.

베드로는 성경 읽기에 있어서 주의를 기울이는 세심함을 요구했습니다. 그러나 율법을 읽으면서도 하나님의 언약과 성취에 관해 세심하게 읽지 않는 경향이 모든 신천지 교인들의 공통점입니다. 한국 교회 교인들은 어떤가요? 신천지 복음방에서는 하나님께서 창세기에서 하신 아브라함 언약은 모세 때 성취되었다고 가르칩니다. 그리고 신천지 교인들도 그렇다고 알고 있어요. 그럼 우리는 저렇게 알고서, 한국 교회를 오해하고,

적대심을 불태우는 사람을 어떻게 섬길 수 있을까요? 그 섬김은 일단 토라에 등장하는 언약들을 세심하게 읽어보는 것으로 시작됩니다. 하나님께서 아브라함에게 하신 언약하신 내용을 세심하게 살펴보면 다음과 같이 정리할 수 있습니다.

- 땅을 주시겠다고 했고,
- 아브라함의 자손이 번성하게 하신다고 약속하셨고,
- 땅의 모든 족속이 아브라함을 통해 복을 받겠다고 하셨습니다.
- 그리고 그 과정에 있어서 400년간 이방에서 고생하다가 재물을 끌고 나오는 일이 있을 것이라 말씀하셨습니다.
- 그리고 아브라함을 통해 많은 민족과 왕들이 배출될 것이라 약속하셨습니다. "아브라함"이란 이름은 "모든 민족의 아버지"인데, 바로 이 약속 때문에 하나님은 이름을 바꿔주신 것입니다.
- 그리고 이 아브라함에게 하신 약속은 대대로 후손들에게 하신 영원한 언약이라 말씀하신 것을 확인할 수 있습니다.

창세기 12장~17장 (대대로 후손들에게 영원한)
하나님께서 아브라함에게 하신 언약

자손의
번성

너를 통해
땅 위의 모든
민족이 복 받음

400년간
이방에서 고생하다
재물 끌고 나올 것

땅 상속

너를 통해
많은 민족과
왕들이 배출됨

 그리고 이 아브라함 언약 이야기는 율법 이야기 안에 들어있는 내용입니다. 이 언약대로 이뤄진다면, 아브라함을 통해 땅의 모든 민족이 복을 받고, 아브라함에게서 나온 왕들과 민족들이 번성하며, 아담 이후 벌어진 타락의 문제가 해결될 것입니다. 그럼 이 아브라함의 언약은, 정말 신천지에서의 교육 내용처럼 모세에게서 성취되었을까요? 그럴 수 없습니다. 다음의 이유들 때문입니다.

- 모세 시절, 아브라함 당사자는 땅을 상속받은 바 없습니다.
- 그리고 이스라엘이 가나안 땅을 차지했을 때, 아브라함을 통해 땅 위의 모든 민족이 복을 받지도 못했습니다.
- 400년간 이방에서 고생하다 재물끌고 나온 것은 이뤄졌습니다.
- 그러나 아브라함을 통해서 많은 민족들과 왕들이 배출되지않았습니다. 즉 아브라함이라는 이름의 의미를 담고 있던 그 언약은 모세와 이스라엘 가나안 정복 때에는 이뤄지지 않았습니다.

아브라함 언약이 있었고, 시내산에서 이스라엘은 하나님의 언약 백성으로 임명되었지만, 언약들이 이뤄지기는 커녕 언약 백성은 곧장 실패했습니다. 금송아지를 숭배했고, 가나안 땅 들어가서도 하나님 보시기에 합당한 삶을 살지 못했습니다.

창세기 12장~17장 (대대로 후손들에게 영원한)
하나님께서 아브라함에게 하신 언약

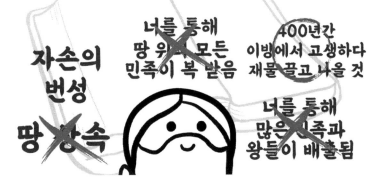

그렇다면 아브라함 언약은 언제 이뤄졌을까요? 바울은 이렇게 말합니다. 메시아 예수에 의해서 아브라함 언약이 성취되기 시작했다고 말입니다.

갈라디아서 3:16, 새번역

그런데 하나님께서 **아브라함과 그 자손에게 약속을 말씀하실 때에,** 마치 여러 사람을 가리키는 것처럼 "자손들에게"라고 말씀하시지 않고 단 한 사람을 가리키는 뜻으로 "너의 자손에게" 라고 말씀하셨습니다. 그 한 사람은 곧 **그리스도**입니다.

바울은 아브라함에게 번성한다고 말씀하셨던 그 자손이 그리스도라고 선언합니다. 그리고 아브라함 언약은 모세 시절 이후에도 여전히 유효하다는 진실도 분명히 말합니다. 바울이 말하는 예수의 부활은, 하나님께서 아브라함에게 약속하셨던 바로 그 자손의 부활이기 때문입니다.

갈라디아서 3:17, 새번역
내가 말하려는 것은 이것입니다.
하나님께서 이미 맺으신 (아브라함) 언약은
430년 뒤에 맺은 율법이 이를 무효로 하여
그 (아브라함) 약속을 폐할 수 없습니다.

그리고 바울은 ′아브라함의 자손이 번성하고 땅 위의 모든 민족이 복 받는다′는 약속이, 이미 예수의 교회들을 통해 이미 이뤄지기 시작했다고 말합니다. 그들이 받는 복의 정체란 예수를 믿는 믿음으로 받는 성령을 가리킵니다. 이것에 관해 바울은 돌려 말하지 않고 노골적으로 말합니다.

갈라디아서 3:14, 새번역
그것은, **아브라함에게 내리신 복을**
그리스도 예수 안에서 이방 사람에게 미치게 하시고,
우리로 하여금 믿음으로 말미암아 약속하신
성령을 받게 하시려는 것입니다.

　그리고 이 성령을 받은 이들에게는 최종적으로 땅이 주어지는데, 이러한 땅 수여는 아브라함에게 하신 언약에 따른 것입니다. 이사야는 이 상속물인 땅을 "새 하늘과 새 땅"이라 말합니다. 따라서 우리는 아브라함의 언약과 그 성취 이야기는 **성경 전체 이야기**라 말할 수 있습니다.

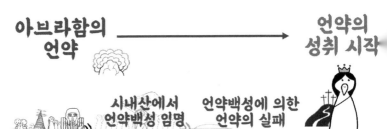

아브라함의
언약

언약의
성취 시작

시내산에서
언약백성 임명

언약백성에 의한
언약의 실패

그러니 아브라함 언약이 모세 때 이뤄졌다고 알고 있는 사람이 있다면, 그것이 아니라고 우리가 이야기를 해줘야 할 것입니다. 이 내용이 신천지 교인이 삶의 방향을 바꾸는 일에 계기가 될 수 있도록 말입니다.

성경은 성령의 인도를 받은
기록자의 입장에서
읽어야 해

직접, 전체를
읽어보았니?

아브라함 언약은
메시아 예수를 통해
이뤄지기 시작했어

그리고 성경은 나를 위한 책이 아니라, 기록자의 입장에서 읽어야 하는, 이스라엘의 역사를 지나, 메시아 예수와 사도들의 교회 이야기를 지나야만 나에 이르는 책임을 알아야 한다는 것입니다. 그리고 이것을 확인하는 것은 누군가가 대신 판단해 줄 것이 아니라, 각자가 직접, 전체를 경험해야 한다는 것입니다.

그래서 지금은 신천지 안에, 그것이 소망이라 생각하고 남아 있지만, 그 사람이 올바른 성경 이야기 안에서 다시 웃을 수 있다면, 이것이야말로 교회의 영광이요, 하나님의 영광이 되리라 생각합니다.

결론

교회인 여러분, 우리는 작금의 신천지를 바라보며 어떤 생각을 하고 있는 것일까요? 이만희씨의 죽음이 임박했고, 신천지의 내부분열에 이은 멸망이 우리 세대 안에 벌어질 것입니다. 그리고 이 일은 우리 사회에 임박한 일, 우리의 이웃들이 큰 아픔을 겪을 파국입니다. 그러므로 지금부터 교회가 신천지를 겪었던 이들을 향한 포용력을 갖고서, 그들이 하나님을 오해하지 않고 올바른 이야기 안에서 살 수 있도록 실제적인 준비를 갖춰야 할 것입니다. 오늘 여러분들께 전달드린 이야기는 이

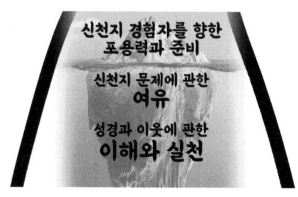

신천지 경험자를 향한
포용력과 준비

신천지 문제에 관한
여유

성경과 이웃에 관한
이해와 실천

준비의 일환입니다. 이것은 적대감이나 두려움으로 할 수 있는 일은 아닙니다. "예수라면 어떻게 하셨을 것인가?"라는 질문에 대한 답변으로서, 예수께서 자신을 반대하는 이들마저도 사랑하셨고 끝내 죽어주셨다는 역사적 사실을 발견했을 때 우리가 자발적으로 선택하는 따뜻함, 여유, 사랑이 이단 문제를 대면하는 가장 우리다운 태도라 확신합니다. 그러니 우리는 다시 성경을 붙들고, 그 첫대목부터 읽어나가야 합니다. 그리고 신천지 교인들이 어떤 사람인지 이해하고자 힘써야 합니다. 그래야 자신들의 소망이 무너졌을 때, 큰 상실을 겪을 그들을, 우리가 교회의 이름으로, 예수의 이름으로 도울 수 있을 것입니다. 그리고 그때 비로소 우리는 이웃을 사랑하라는 말씀과 원수를 사랑하라는 말씀은 사실 하나였음을 깨닫게 될 것입니다.

현장에서 강의했던 영상을
유튜브에서 보실 수 있습니다

Q. 자신의 입장과 관점으로 성경을 보는 위험성에 관해 이야기 해봅시다.

Q. 직접 읽어보지 않고, 남의 말을 그저 수용했을 때의 위험성에 관해서도 이야기 해봅시다. 이런 경험이 있나요?

Q. 아브라함 언약이 모세 때 이뤄졌다는 주장을 바울을 인용하여 반박해봅시다.

Q. 신천지가 갖고 있는 성경 해석의 문제들은, 한국 교회 안에서도 익숙한 것이라는 저자의 주장에 관해 각자의 입장과 경험을 이야기 해봅시다.

Q. 신천지 교인을 향한 한국교회의 합당한 태도에 관해 이야기 해봅시다.

5장.
토라 이야기와 우리

*2021년 11월 14일 서울에 있는 한사랑 교회에서 설교한 내용입니다

안녕하세요. 반갑습니다. 다시 만나게 되었네요. 제가 지난 시간 한사랑 교회와서 이야기했던 것을 간단하게 요약부터 해보겠습니다. 우리는 그때 사이비 이단 문제에 대한 중대한 물음을 가지고 함께 이야기를 나누었습니다. 저는 이 문제에 있어서 교회인 우리 자신을 지킬 수 있고, 우리가 교회답게 섬길 수 있도록 하는 그 해결의 첫 단추는 바로 '율법 이야기'를 잘 아는데 있다는 것을 말씀을 드렸습니다. 그리고 그 율법 이야기의 내용 중에서 한사랑 교회 청년들과는 '요셉과 유다 이야기'를 다루었었지요. 기억나시는 분들이 있을 거에요.

참 신기한 일이고, 어찌보면 허탈한 일이지요. 늘 우리 곁에 있었던 이야기를 잘 익히는 것이, 우리가 그토록 어려워했던 문제의 해결책이었다는 사실 말입니다. 비유컨대, 보물을 찾으려고 먼 길 여행을 떠났는데 정작 그 보물이 내 방 책상 아래에 있었던 격입니다. 우리 곁에 있었던 이 오래된 옛 이야기가, 교회를 교회답게 하고, 신천지를 경험했던 사람들을 도울 수 있는 탁월한 방법이자 소중한 선물이었습니다.

그리고 이단 문제를 떠나서 우리가 율법의 충실한 독자가 되어야 하는 이유는, 우리가 사랑하는 한 분이 이 책을 잘 알고 계셨기 때문입니다. 잘 알고 계시다는 말로는 모자릅니다. 그분의 삶이, 죽음이, 그리고 부활을 포함한 그분의 삶의 방향이 바로 이 율법이라는 책에 뿌리를 두고 있습니다. 그러니 그분을 따르는 우리로서 우리는 이 책을 들고, 이 이야기 속으로 들어가봐야하는 것이지요. '예수를 안다'는 말은 율법을 통해서 그이를 이해한다는 말에 다름 아닙니다.

그래서 오늘도 율법 이야기를 하고자 하는데, 일단 저와 여러분이 지난 시간 나누었던 내용을 다시 상기해봅시다. 율법은 하나의 이야기입니다. 이야기이기 때문에 자세히 풀어내면 미주알 고주알 한 없이 자세히 풀어낼 수도 있지만, 2시간 짜리 영화를 5분만에 요약할 수도 있지요. 이야기란게 그렇습니다. 그럼 그토록 중요하다고 했던 그 율법 이야기를 빠르게 요약해봅시다.

토라 이야기 요약

  먼저 이 그림으로 시작해야 할 거에요. 지금 여러분들이 보시는 것은 땅이고, 그 위에 이 땅의 중심인 에덴이 있습니다. 하나님은 보시기에 좋게 만물을 창조하셨고, 이 만물의 중심에는 하나님과 사람이 교제하는 에덴이 있었습니다. 그리고 하나님은 에덴에 아담을 두시고, 아담과는 다른 면모의 사람인 하와를 창조하시며 이 거룩한 동산을 돌보게 하셨습니다.

그런데 우리가 잘 알다시피, 하나님께서 말씀하신 하나의 계명이 있었습니다. 하나님은 인간에게 자유를 허락하셨지만, 단 하나의 계명을 통해서 인간이 하나님께 반역할 자유는 허용되지 않았습니다. 즉 이 계명은 계명을 주시는 하나님과, 그 계명에 순종해야 할 사람을 구분 시켜주는 기능을 가지고 있었어요. 바로 선악을 알게 하는 나무의 열매를 먹지 말라는 것이었습니다. 그런데 사람은 이 계명을 어기고 말았습니다. 이것을 기독교 전통은 '타락'이라 부르지요.

그리고 하나님의 계명을 어길 수 있는 인간의 삶은 비인간적으로 전락했습니다. 아주 빨리요. 그래서 아담과 하와의 첫 아들은 첫 살인자가 되었고, 하나님이 보시기에 "좋게" 지으신 창조세계가 노아 시대에 이르러서는, 더 이상 좋다고 말할 수 없는 지경에 이르렀습니다. 다시 새로운 기회를 얻었던 노아의 후손들조차도 바벨탑을 세워 하나님처럼 되고자 했습니다. 따라서 타락 이후 인간에게서는 아무런 희망을 찾을 수 없었던 것이지요.

그런데 반전이 이 한 사람에게서부터 시작합니다. 아브라함. 하나님은 아브라함에게 약속을 하셨는데, 그 약속의 내용이

란, 창조세계를 하나님 주시는 복을 누리는 사람들로 가득한, 다시 말해서 다시 "좋게" 만드시겠다고, 좋으신 하나님이 창조하신 창조세계 답게 하시겠다고 약속하셨습니다.

그러나 아브라함과의 약속 이후 곧장 해피엔딩이 펼쳐지지 않았어요. 이후 아브라함의 자손들이 이집트의 노예가 되고, 그들은 양의 피를 발라 이집트의 어두운 밤을 빠져나왔으며, 광야에서 그들은 하나님과 다시 언약을 맺고 시내산에서 하나님과 계약하기를, 아브라함 언약을 성취하는 민족이 되겠다고 한 것이지요. 그리고 하나님은 이들에게 이전과는 다른 새로운 삶의 방식대로 살 것을 명하셨습니다.

그리고 40년간 광야에서의 시간이 있었고, 드디어 약속의 땅을 차지하기 일보 직전 까지의 이야기. 우리는 이상의 이야기를 모세를 통해서 알게 되었고, 모세를 통해 알게된 이 이야기 전체를 가리켜 율법이라고 부릅니다. 즉 창세기, 출애굽기, 레위기, 민수기, 신명기까지의 이야기를 가리키는 말이에요.

그리고 여기까지 읽고나면, 이 율법의 독자들은 다음과 같은 질문을 던지게 됩니다. 그러니까 성경의 첫 다섯 권은 이 질문을 위해 존재한다고 해도 과언이 아니에요.

창세기 **출애굽기** **레위기** **민수기** **신명기**

'과연 창조세계는

하나님께서 아브라함에게 하신 언약 내용대로

이 시내산에서 언약한 민족을 통해

그 '좋음'을 되찾을 수 있을 것인가,

새롭게 될 수 있을 것인가?'

이 질문에 대한 답변이 나머지 성경 전체입니다. 즉 우리가 성경을 읽는다면, 이 질문의 답을 찾기 위해 읽는 것이지요. 그러나 저 물음을 율법 이야기에서 발견하기조차, 그리고 저 물음에 대한 나머지 내용에 관한 답을 찾아가는 것은 저의 청소년, 청년기에는 지금 생각하면 상상하기 어려울만큼 어려운 것이었습니다. 저도 그 시절 성경을 잘 이해하고 싶은 마음이 있었어요. 그러나 적절한 도움을 받지 못했습니다. 답답한 마음에 신학교 문턱을 밟는 사람들도 있지만, '신학교의 수업을 잘 들으면 성경 이야기를 잘 알게 되는지'를 제게 묻는다면 제 답변은 회의적입니다. 오히려 학자들의 의견에 파묻혀 성경 읽을 기회를 얻지 못하는 경우도 많으니까요. 제가 하는 강의들도 마찬가지입니다. 누군가의 의견을 듣는 것은 어렵지 않지만, 스스로 파악하며 무언가 확신을 가지고 말을 한다는 것은 듣기만 하는 것과는 또 다른 차원의 일입니다.

제 친구 중에 성경 내용을 가지고 뮤지컬을 만든 친구가 있습니다. 만드는 과정을 제가 지켜봤는데, 이 친구가 극을 만들 목적으로 성경을 읽게 되니, 각각 캐릭터나 당시 상황을 상상할 수 밖에 없게 됩니다. 다 쓰여있지 않아도 그 상황 속 등장인물들의 처지와 심정을 상상해가며, 글자가 보여주는 것 이상의 정보를 얻고자 했습니다.

또 제가 아는 형 중에는 만화가 지망생이었던 형도 있는데, 그 형도 마찬가지였어요. 만화가이다 보니까 성경을 읽고 등장인물들의 캐릭터를 구체화하게 되고, 배경 장면을 채우기 위한 디테일들을 고민하게 됩니다.

그리고 저 역시 그랬습니다. 제가 10여년간 어린이들에게 성경 가르치는 일을 하다보니, 아이들에겐 글자보단 그림이 더 편했고, 캐릭터를 만들고 그 캐릭터의 입장에서 성경 이야기를 설명하려다보니, 자연스럽게 성경 읽기는 인물과 당대 상황을 다시 그려낼 목적으로 읽게 되었던 것이지요. 그리고 나중에 알게 된 것은 **이것이 가장 좋은 길이었습니다.** 제가 신천지에 몸담았던 사람들에게 생각을 재고할 수 있도록 도울 수 있었던 것은, 제가 성경이 말하고 있는 사람과 사건들을 나름대로 이해하고 있었다는 이유, 그것 하나 때문이었습니다. 그러나 단어의 의미를 자신의 입장에 따라 재정의해가며 학문을 대하듯 성경을 연구하는 사람들 중에는 대개 성경 이야기가 말하고 있는 사건에 대한 상상과 이미지들이 없었습니다. 극본가, 만화가, 어린이 전도사에게 있던 것이 그들에게는 없었습니다.

그래서 발견한 것이지요. ′읽고 당대를 상상해보는 것′의 중요성 말입니다. 우리가 옛날의 상황과 배경을 공부하려는 것도, 어떻게 하면 저 ′상상′을 잘 할 수 있을 것인가를 위한 것이고 ′연구가 깊어진다′ 말할 수 있다면, 더욱 개연성있는 세밀

한 상상을 말하는 것입니다. 우리의 읽기가 지향해야 하는 것은 나만의 해석이 아니라, 당대 사건에 관한 충실한 증언이어야 하기 때문입니다.

상상과 들어맞지 않는 해석들

제게 신천지 문제는 저처럼 성경 이야기에 관해 상상해보았다면 도무지 납득할 수 없는 말들을 하는 사람들이 눈 앞에 나타났을 뿐입니다.

1) "광야의 2세대처럼 됩시다"(?)

예컨대 어느 신천지 친구가 이렇게 말했습니다. 신천지에서 "광야의 1세대처럼 불평불만해서는 안된다. 2세대처럼 순종해서 약속의 땅에 꼭 들어가자"는 말을 자주 들었다고 합니다. 그런데 저 말은 율법 이야기를 즐겁게 상상하며 읽었던 제게는 납득할 수 없는 말이었습니다. 그리고 아마 저 말에 가장 의아해 할 사람은 광야에 있었던 모세 자신일 거에요.

**"광야의 1세대처럼 불평불만 말고
2세대처럼 되어야 약속의 땅에 들어갑니다"**

여러분, 저 말에 어떤 문제가 있는지 감이 잡히시나요? 일단 우리는 광야를 머리 속에 떠올려 봐야겠지요. 광야에 있는 모세와 이스라엘을 떠올려봅시다. 그리고 광야의 이스라엘에 관한 우리의 상상을 돕는 자료 중에서는 단연 민수기가 최고입니다. 민수기는 출애굽한 이스라엘 백성의 광야 여정을 다루고 있거든요. 그런데 그 내용을 찬찬히 읽어보면, 10장에서 14장까지는 1세대들의 불평불만이 나옵니다. 광야에 먹을 것이 없다고 불평하기 시작하는데, 거기 11장에 보면 보면 이런 내용도 있어요. "고기, 생선, 오이, 참외, 부추, 파, 마늘! 만나 말곤 없잖아!" 하고서 불평하는 장면이 나옵니다.[3] 먹을 것에 관한 불만 뿐만 아니라, 모세를 비방하기도 하고(12장), 또 용기는 없어서 가나안의 덩치 좋은 사람들을 보고서 '우리는 메뚜기처럼 보잘 것 없다'는 소리를 하는 것이 13장입니다. 모세가 어쩌자고 저를 지도자를 삼으셨냐고 하나님께 신세한탄을 하는 장면이 14장에 이어집니다.

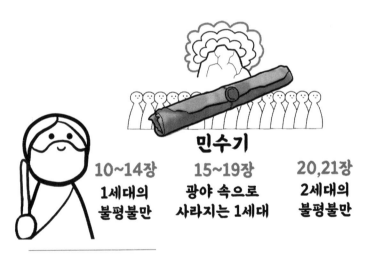

민수기

10~14장
1세대의
불평불만

15~19장
광야 속으로
사라지는 1세대

20,21장
2세대의
불평불만

---

3 여기에서 생선과 참외를 제외하면 다 만두 재료들입니다. 제가 만두를 참 좋아하거든요. 그래서 이 대목을 읽으며, 이 사람들도 나중에 만두를 맛보면 좋아하겠다고 생각했습니다. 즐거운 상상입니다.

그리고 이어지는 민수기 15~19장은 광야에서의 38년간의 이야기를 단출하게 보여줍니다. 하나님은 무려 38년간 별 말씀이 없으세요. 그 시간 동안 1세대는 또다시 반역을 일삼고, 불평하다가 광야에서 모두 쓰러져 죽습니다.

그리고 20장에 들어가면, 또 불평 불만하는 사람들을 만나게 되는데, 얼핏 보면 이게 1세대인지 2세대인줄 모를 수도 있어요. 왜냐하면 앞선 내용과 똑같이 불평과 불만으로 가득한 살마들이 등장하거든요. 이들이 2세대라는 것을 아는 것은 이 사람들이 아론의 죽음을 겪었다는 대목이 등장한 순간입니다. 왜냐하면 아론이 죽은 것은 광야 생활 40년째이거든요. 그러니까 아론의 죽음을 경험한 사람들은 광야 2세대인 것이지요. 민수기가 이런 방식으로 기록된 것은, 1세대나 2세대나 다를 것이 없었다는 것을 보여주기 위함입니다. 2세대요? 1세대보다 나은 것이 전혀 없었어요. 우리가 잘 알고 있는 이야기가 있지요. 불평, 불만 하다가 불뱀에 물리는 재앙을 겪은 것도 바로 이 광야 2세대입니다. 그러니 '1세대는 불평, 불만하다가 광야에 들어가지 못했으니, 1세대처럼 하지 말고 2세대가 되자'는 말은 민수기를 읽고 당시 상황을 상상해본 적이 단 한 번도 없었음을 보여줍니다.

신명기 9:5, 새번역

당신들이 마음이 착하고 바르기 때문에
당신들이 들어가서 그들의 땅을 차지하도록 하신 것이 아니라,
여기에 있는 이 민족들이 악하기 때문에
주 당신들의 하나님이 그들을 당신들 앞에서 내쫓으신 것입니다.

10~14장   15~19장   20~21장
1세대의   광야 속으로   불뱀 사건
불평불만   사라지는 1세대   불평불만

그리고 심지어 신명기도 읽어보지 않았다는 사실을 방증합니다. 신명기에서는 아예 대놓고, 광야의 2세대가 가나안 땅에 들어갈 수 있었던 것은, 그들이 마음이 착하고 바르기 때문이 아니라는 사실을 명시하고 있기 때문입니다. 2세대가 착하거나, 바르기 때문이 아니라, 가나안 땅을 차지하고 있는 이들이 악하기 때문에 그들을 심판하기 위함이고, 하나님께서 자신이 약속한 내용을 이행하시기 위해 그들이 가나안 땅을 차지하는

것이지, 사람이 잘 해서 얻은 성과는 조금도 없다는 사실을 율법 이야기가, 특히 신명기 9:5가 분명히 보여주고 있습니다.

그러니 만일 어느 신천지 교인이 '약속에 참여하는 2세대가 되기 위해 내가 더 착하게 살아야지, 더 마음을 잘 써야지' 라고 생각했다면, 이것은 성경 내용과 아무런 관련이 없습니다.

2) "여호수아처럼 전쟁합시다"(?)

또한 신천지 교인이라면 이런 이야기를 들어보신 적이 있을 거에요. 여호수아가 전쟁에 임하는 태도를 가지고 전도해야 한

다는 소리 말입니다. 그런데 저렇게 말하며 신천지 교인들을 독려하는 신천지 사명자에게 제가 오히려 묻고 싶습니다. 여호수아 전쟁에 관해서 읽어보셨는지를 말입니다. 아마도 저런 말에 가장 난색을 표할 사람은 여호수아 자신일텐데, 신천지 교인들은 성경을 읽고 상상해봤던 경험이 없습니다.

　신천지가 자신들의 교리를 꽁꽁 감추던 시절이 있었습니다. 제가 신천지 교인이 되어버린 신학교 동기 형을 찾아갔던 10년전만 하더라도, 그 형은 신천지 교리 내용은 인쇄해서는 절대 안된다며, 손으로 끄적끄적 교리 내용을 갱지에 적어가며 설명해주었던 기억이 납니다. 그때만 하더라도 신천지 지도부에서는 자신들의 조악한 교리 내용이 밖에 알려져 공론화되기를 원치 않았을 것입니다. 자신들이 속이고 있다는 것을 자신들이 누구보다 잘 알고 있었을테니까요. 그러나 충격적인 반전은 그들이 지금으로부터 10년 전, 2010년 말쯤 대집회를 열며 교리를 대대적으로 홍보하기 시작했고, 2016년에는 유뷰트에 교리 비교 영상을 업로드했을 때, 신천지 지도부가 그간 겁먹었던 것과는 달리, 그에 대해서 교회가 적절한 답변을 주지 못했다는 것입니다. 그렇기 때문에 신천지는 더욱 자신만만해졌고요. 신천지 지도부의 예상보다 훨씬 한국 교회는 성경 해석에 있어서 취약했던 것입니다.

신천지 문제를 대면한 이후 줄곧 교회는 이 문제가 교회의 성경 읽기 방식과 해석을 돌아봐야 하는 문제로 본 적이 없습니다. 그저 수세적인 대처, 우리 교회만 피해를 받지 않으면 된다는 쪽으로 기울었습니다. '과연 교회는 이 교회의 이야기를 적절하게 알고, 설명할 수 있는가?' 라는 근본적인 질문을 던지는 것에서 문제를 해결할 생각을 하지 못했습니다.

그럼 다시 상상할 시간입니다. 이번에 우리가 상상해볼 사람은 여호수아입니다. 이 사람을 시작으로, 상상에 상상을 연결하여(물론 그 상상은 성경 본문과 당대 역사적 상황에 부합한 개연성있는 상상이어야 할 것입니다), 우리의 이야기를 이어나가봅시다. 일단 이 사람의 이름은 히브리어로는 '여호수아'라고 읽지만, 희랍어로 읽으면 '예수'가 됩니다. 즉 우리가 아는 한 분과 동명이인이지요. 이 여호수아라는 사람의 가나안 정복에 관해 함께 상상해봅시다. 그런데 제가 말씀드린 상상은, 아무렇게나 하는 상상을 말하지 않습니다. 그리고 여호수아 정복 전쟁은 예수님의 사역과도 밀접한 관련이 있고, 또 여러 오해들도 겹쳐있기 때문에 제대로 상상하려면 재료들이 충분히 갖춰져야 합니다.

성경이 말하는 땅과 인간의 관계

　여호수아의 가나안 정복 이야기는 여호수아라는 책에 나오는 내용이지만, 이 내용 역시 '율법'을 빼놓고는 제대로 읽어내는 것이 불가능합니다. 우리는 앞에서 빠르게 요약했던 율법의 몇몇 장면들을 다시 들여다볼 필요가 있는데, 먼저 이 장면입니다. 아담과 하와가 선악을 알게 하는 나무의 열매를 먹었던 바로 그 장면 말입니다. 그런데 이 장면에서 하나님께서 하신 말씀을 잘 곱씹어보면, 독특한 면이 있습니다. 하나님께서 '땅'에 관해 무어라 말씀하시는지 귀 기울여 봅시다.

창세기 3:17, 새번역
남자에게는 이렇게 말씀하셨다.
네가 아내의 말을 듣고서,
내가 너에게 먹지 말라고 한 그 나무의 열매를 먹었으니,
이제 땅이 너 때문에 저주를 받을 것이다.
너는, 죽는 날까지 수고를 하여야만,
땅에서 나는 것을 먹을 수 있을 것이다.

여러분 이상하지 않으세요? 잘못을 한 것은 사람인데, 그 사람 때문에 저주를 받는 것은 ′땅′입니다. 이 땅은 하나님께서 창조하신 땅이고, 사람에게 맡기신 것이지요. 그런데 그 땅 위에 사는 사람이 범죄했을 때, 그 범죄는 사람에게만 문제되는 것이 아니라 땅도 함께 처벌을 받습니다. 아담이 고생해서 노동해야 했던 것도 땅이 저주를 받았기 때문입니다. 율법이라는 고대 문서가 보여주는 사람과 땅의 관계가, 환경을 보호해야 한다는 현대인의 관점과도 공명한다는 생각이 듭니다. 인간의 오판으로 환경이 오염되고, 그것을 되돌리기 위해서는 인간의 많은 노동과 고생이 필요하다는 점에서 말입니다.

두 번째 장면입니다. 그리고 이 토라가 보여주는 사람과 땅의 관계는 아담에게만 적용되지 않습니다. 인간의 범죄로 인해 땅이 저주를 받는다는 것은 성경 전체를 관통하고 있는 내용이기에, 아담 다음 사람을 보아도 같은 원칙이 적용된다는 것을 확인할 수 있습니다.

창세기 4:10~12, 새번역
주님께서 말씀하셨다.
"네가 무슨 일을 저질렀느냐?
너의 아우의 피가 땅에서 나에게 울부짖는다.
이제 네가 땅에서 저주를 받을 것이다.
땅이 그 입을 벌려서, 너의 아우의 피를 너의 손에서 받아 마셨다.
네가 밭을 갈아도, 땅이 이제는 너에게
효력을 더 나타내지 않을 것이다.
너는 이 땅 위에서 쉬지도 못하고, 떠돌아다니게 될 것이다."

가인이 무죄한 동생의 피를 흘리게 했을 때, 땅은 가인이 노동해도 아무런 성과를 주지 않았고, 그 결과 가인은 땅에서 방랑자가 됩니다. 즉 범죄한 인간이 땅을 갈아도 소산을 얻지 못하고 그 땅 위에서 쉬지도 못하는 일이 벌어진 것이지요. 그리고 사람의 범죄로 인해 땅의 상태가 최악에 이르른 때가 바로 노아의 시대입니다.

창세기 6:11,12, 번역 수정
하나님이 보시니, 온 땅이 썩었고,
악이 땅에 가득했다.
하나님이 땅을 보시니, 썩어 있었다.
살과 피를 지니고 땅 위에 사는 모든 사람들의 삶이
속속들이 썩어있었기 때문이었다.

노아 시대의 사람들의 범죄는 아예 땅을 썩게 만들어 버렸습니다. 이렇게 되었을 때, 하나님의 입장을 생각해봅시다. 하나님은 이 땅을 창조하신 창조주로서, 인간의 범죄로 인해 썩어버린 자기 작품을 보수하고 다시 회복시키실 책임이 있었습니다. 그래서 우리가 잘 알고 있는 사건이 벌어집니다. 바로 노아의 홍수 입니다. 즉 노아의 홍수는 범죄한 사람들을 처벌하고 땅을 씻는 작업이었던 것이지요.

홍수 이후 방주가 아라랏산에 다다랐고, 그 방주에서 나온 노아의 여덟 가족이 마침내 홍수로 씻겨진 땅을 밟습니다. 그리고 여전히 물로 가득한 세상 한 가운데서 하나님께 제사를 드릴 때, 하나님께서 이렇게 말씀하셨습니다. 그리고 역시나 이 내용에도 땅에 관한 내용이 등장합니다.

창세기 8:21, 새번역

"다시는 사람이 악하다고 하여서,
땅을 처벌 하지는 않겠다.
사람은 어릴 때부터 그 마음의 생각이 악하기 마련이다.
다시는 이번에 한 것 같이, 모든 생물을 없애지는 않겠다."

이로써 우리는 노아의 홍수의 의미를 땅과 결부시켜 이해할 수 있게 되었습니다. 노아 시대 사람들이 극악으로 타락했기 때문에 그들과 함께 땅이 저주를 받았고, 노아의 홍수는 그 땅 위에서 범죄한 사람들을 심판하는 것임과 동시에 그들에 의해 저주받은 땅 전체를 다시 회복시키신 사건이었습니다. 땅을 오염시키는 사람들이 모두 심판을 받은 이후, 아라랏 산에서 물이 가득한 땅을 바라보던 노아와 그의 가족들을 떠올려봅시다. 그들은 무슨 생각을 하고 있었을까요? 살아남은 인류의 일원으로서 다시는 땅을 더럽히지 않아야 한다는 책임감을 느끼고 있지 않았을까요?

이상의 내용들을 다음과 같이 정리해볼 수 있습니다.

· 인간의 범죄는 하나님께서 창조하신 땅을 오염시킨다
· 아담은 땅에서 고생을, 가인은 땅에서 방랑을, 노아시대 사람들은 땅과 함께 처벌 받았다.
· 하나님은 사람이 악하다고 해서 땅을 함께 심판하지 않겠다고 약속하셨다.

폭풍 전야

이렇듯 우리는 신경쓰지 않고 있었지만, 성경은 유독 땅에 관한 관심을 보여줍니다. 그 다음 이야기도 마찬가지에요. 노아의 홍수 이후, 하나님은 아브라함을 부르셨고 그의 손자인 야곱 가문이 번성하여 이스라엘을 이루었습니다. 하나님께서 이들을 파라오의 손아귀에서 건져내신 것은 이들에게 주시고자 했던 땅이 있었기 때문이지요. 그런데 우리가 아는 것처럼 모세는 가나안 땅에 들어가지 못하고 여호수아가 바통을 넘겨받아, 이스라엘이 약속의 땅에 들어갈 수 있도록 그들을 인도했습니다.

그리고 이제 우리는 바로 그 땅, 즉 가나안 땅에 관하여 우리가 앞선 이야기에서 확인했던 '사람과 땅의 관련성'을 염두해두고서 성경의 진술을 잘 들여다볼 필요가 있습니다. 눈에 들어오는 대목이 있을 거예요.

시편 106:38,39, 새번역
무죄한 피를 흘렸으니,
이는 가나안의 우상들에게 제물로 바친
그들의 아들딸이 흘린 피였습니다.
그래서 **그 땅은 그 피로 더러워졌습니다.**
그들은 그런 행위로 더러워지고,
그런 행동으로 음란하게 되었습니다.

가나안 족속과 그들이 살고 있는 땅에 관하여 시편 기자는 간략하게, 그러나 심각하게 충격적인 실체를 고발합니다. 그들이 무죄한 이들의 피를 흘리게 했다는 겁니다. 마치 가인처럼 말입니다. 그리고 그 무죄한 사람들이란 다름 아닌 가나안 우상들에게 바쳐진 그들의 아들, 딸들이었습니다. 그리고 가나안 사람들에 의해 죽임당한 가나안 자녀들의 피는 가나안 땅을 오염시켰습니다.

"당시 가나안은 아이들을 주기적으로 살해해왔던 공장"

　여러분이 보고 계신 그림은 가나안 땅을 점령한 우상들 중 하나인 몰렉입니다. 제가 이전 강의에서 '몰렉'이라는 우상을 소개했던 바 있습니다. 부모들이 자신들의 아이를 몰렉의 용광로에 집어 넣으면, 이 몰렉은 그 가족의 안녕을 보장해주겠다고 했습니다. 그러나 진실은, 이 몰렉이야말로 부모의 기쁨을 빼앗은 주범이었습니다. 용광로의 뜨거운 열기에 아이의 자지러지는 비명 소리가 들립니다. 그러나 몰렉 숭배자들은 그 아이의 비명이 들리지 않도록 음악을 크게 연주하며, 부모는 가지런히 손을 모읍니다. 이렇게 가나안 땅의 아들과 딸들은 줄곧 희생당해왔습니다. 우리는 이 몰렉을 숭배하고 있던 가나안, 이제 여호수아와 이스라엘이 차지하고자 하는 땅을 이렇게 요약하고자 합니다. ˝아이들을 주기적으로 살해해왔던 거대한 공장˝이라고 말입니다.

여러분, 잘못된 이야기가 이렇게나 무섭습니다. 우리 생각에는, ʹ어떻게 자기 자녀를 불에 바칠 수 있겠어?ʹ, ʹ그게 옳지 않다는 것을 왜 깨닫지 못했어?ʹ 라고 하고 싶지만, 가나안 지역의 세계관은 그렇게 호락호락한 것이 아니었습니다. 오늘날 우리가 ʹ신화ʹ라고 부르는 거대한 옛 이야기 안에서, 그리고 주기적으로 반복되는 ʹ제의ʹ라는 실천을 통해서, 사람들은 선과 악을 반대로 놓고서도 그것이 잘못되었다는 사실을 깨닫지 못했습니다. 오히려 신화와 제의가 사람들의 삶을 규정합니다. 따라서 우리는 창조된 사람답게 살기 위해서 이 땅의 이야기들과 그것의 짝인 반복되는 제의적 성경의 행동들을 분별해야만 합니다. 그릇된 이야기 안에서 옳다고 믿고 행하는 것이 사실 자신과 이웃을 파멸시키고, 하나님 앞에서 땅을 더럽히는 행위를 하게 하면서도 진실을 발견할 수 없도록 눈을 멀게 하기 때문입니다.

성경에는 '심판'이라는 단어가 등장합니다. 요새는 정치 용어가 되었지요. 그래서 선거 때마다 '정권 심판론' 같은 말을 쉽게 들을 수 있게 되었습니다. 그런데 우리는 옛단어들을 가져와 사용은 했으나, 그 옛단어가 갖고 있던 본래의 의미는 쉽게 잊었습니다. 그래서 말을 하면서도 그 말의 의미를 모른채 소통하는 경우도 많습니다.

하나님의 공정한
심판 = 판단

성경이라는 고대 문헌에 등장하는 '심판'은 정권을 심판하겠다는 말처럼 누군가의 실패와 패망만을 의미하지 않습니다. 기본적인 의미는 '판단'입니다. 그래서 우리는 심판이라는 단어가 나올 때, 이것을 '판단'이라 옮길 수 있습니다. 무언가를 판단한다는 것은 옳고 그른 것을 나눌 수 있다는 말입니다. 그리고 그렇게 할 수 있으려면, 기준이 드러나야만 합니다. 옳고 그른 것을 나누는 기준 말입니다. 따라서 "하나님의 심판"이라고 하면, 우리는 하나님의 공정한 판단 기준이 드러났음을 말하는 단어입니다. 시내산에서 율법이 선언되었을 때, 하나님의 옳고 그름의 기준이 드러났고, 이것이 심판입니다. 토라에 부합하지 않은 타락한 삶에 대한 정죄의 기준이 드러난 것이지요. 그리고 그 토라는 몰렉에 관한 내용을 포함하고 있습니다.

레위기 18:21, 개역한글
너는 결단코 자녀를 몰렉에게 주어 불로 통과케 말아서
네 하나님의 이름을 욕되게 하지 말라 나는 여호와니라

레위기 20:4,5, 새번역
자식을 몰렉에게 준 자를 눈감아 주고,
그를 사형에 처하지 않으면,
내가 직접 그와 그의 가문에 진노를 부어서 그는 물론이고,
그를 따라 몰렉을 섬기며 음란한 짓을 한 자들을,
모조리 자기 백성에게서 끊어지게 하겠다.

하나님은 이 몰렉에 관하여, 즉 유아 인신 제사에 관해서 토라를 통해 그것은 잘못되었고, 언약 백성에게 승인될 수 없다고 말씀하십니다.

몰렉과 유아 인신제사를 거절하는 이스라엘 신에 대한 소식을 가나안 사람들도 들었을 것입니다. 이집트를 파멸시켰던 아브라함의 하나님의 소식을 들었던 그들에게는, 자신들의 행위를 반성하고 마음을 고쳐먹을 수 있는 기회가 있었습니다. 사실 가나안을 하나님께서 심판하실 것이라는 소식은 이보다도 훨씬 전에, 가나안 일대를 배회하며 텐트 짓고 살던 아브라함에게 이미 하나님께서 하셨던 말씀입니다. 그러니 가나안의 가짜 이야기와 제의 안에서 생명들을 불구덩이로 던지는 일은 하루 이틀 일이 아니었고 무려 400여년간 기회를 가나안 땅을 오염시키던 이들에게 주셨던 것입니다.

심지어 가나안에 대한 처벌 전에 평화의 제안이 먼저 있었습니다. 역사에 만약은 없지만, 그들에게는 하나님과의 전쟁이 아닌 대화를 통해서 문제를 해결할 수 있는 가능성이 남아있었습니다. 그들이 이스라엘의 요구대로 화친을 맺었다면, 그들은 하나님의 백성이 살아가는 삶의 방식을 소개받을 수 있었을 것입니다. 그래서 마치 니느웨가 요나의 외침에 반응했던 것과 같이, 가나안은 하나님께 회개할 수 있는 기회를 얻을 수 있었을 것입니다. 만일 마치 출애굽할 때 모세가 파라오에게 광야에 나가 예배를 드리러 나가는 것을 제안했을 때, 파라오가 그것을 수락했다면, 이집트 땅에 재앙이 쏟아지는 것을 막을 수 있었을 것입니다. 그런데 타락한 지배자들은 한결같이 자신들이 차지한 하나님의 자리를 포기하고 싶어하지 않습니다. 야훼의 군대 소식을 들은 가나안 역시, 뻔뻔한 인간성을 고집하는 최악의 선택을 보여주었습니다.

민수기 21:23, 새번역
그러나 시혼은 이스라엘이 자기 영토를 지나가는 것을 허락하지 않았다. 오히려 그는 이스라엘을 맞아 싸우려고 군대를 모두 이끌고 광야로 나왔다. 그는 야하스에 이르러 이스라엘을 맞아 싸웠다.

오히려 파라오처럼 완고한 모습으로, 자신을 돌아보려 하지 않습니다. 그래서 평화의 제안을 거절한 '시혼'이라는 이름을 가진 왕과 '옥'이라는 이름을 가진 왕은 이스라엘에게 대패합니다. 그리고 이 가나안으로 가는 길목에 있었던 나라들을 시작으로 하나님은 가나안 일곱 족속, 그 몰렉 공장을 중단시키기 위해 여호수아의 군대를 출정시키셨습니다. 창조세계의 질서를 바로 잡기 위해서 말입니다.

"정복하고 구원하지, 동시에"

여호수아 10:40, 새번역
이와 같이 여호수아는 온 땅
곧 산간지방과 네겝 지방과 평지와 경사지와
그들의 모든 왕을 무찔러 한 사람도 살려 두지 않았으며,
이스라엘의 주 하나님의 명을 따라,
살아서 숨쉬는 것은 모두 전멸시켜서 희생제물로 바쳤다.

전쟁의 결과는 참혹했습니다. 하나님은 창조하신 땅 위에서
그들의 타락한 시스템을 중단시키고, 우상 중심의 삶이 몸에
익은 이들을 그 땅에서 쫓아내셨습니다. 그들이 더 이상
'왕국'이라는 이름으로, 또는 '문화'라는 이름으로 타락한 생
활의 풍요로움을 영위하지 못하도록, 그들을 불모지로 내쫓으
셨습니다.

그리고 그 땅에 남아 자신의 삶의 방식을 포기하지 않으려는 이들은 모두 죽임을 당했습니다. 마치 에덴에서 나가라는 하나님의 명령에 아담이 나가지 않겠다고 주저앉은 모양으로, 땅에서 저주를 받게 된 가인이 나는 나대로 살 수 있겠다고 비웃는 모양으로 하나님께 맞서던 이들은 비참한 최후를 맞이했습니다. 그들은 그 땅의 주인이 아니었습니다.

이 여호수아 내용 중 "살아 숨쉬는 것은 모두 전멸시켜", "숨쉬는 사람은 한 사람도 남겨 두지 않았다(여호수아 10:40)"라는 표현을 보고 어떤 이들은 이런 잔혹한 신은 믿을 가치가 없다며 손사래칩니다. 인류는 인종청소라는 끔찍한 사건들을 겪었기에, 이 구절을 통해서 신의 얼굴에 사람들을 학살하는 잔인한 독재자의 형상을 덧씌워놓습니다. 그러나 진실은, 신이야말로 인간에 의한 인간의 희생을 중단시켰다는 것입니다. 그것도 갑작스러운 급습이 아니라, 충분히 소식을 알리고, 투항의 가능성을 열어두고서 말입니다. 그러나 이것에 불복하고서 그릇된 이야기와 실천을 고집한 이들은 자신들이 지키고자 했던 몰렉 공장과 함께 쓰러졌습니다.

그리고 하나님의 공정한 판단에 의해, 가나안 땅을 더럽히던 일곱 족속이 그 땅에서 쫓겨나게 될 때, 오히려 언약 백성 안으로 들어올 수 있었던 이방인들도 있었습니다. 여러분, 라합이라는 여인을 아시나요? 여리고성이 무너질 때, 그 라합의 가족들은 오히려 절망에서부터 일어났습니다. 그리고 기브온 족속이 있습니다. 이들은 가나안 족속이면서도 어떻게든 이스라엘과 화친을 맺기 위해서 자신들의 자존심을 버렸습니다. 라합과 기브온 족속에게는 어떻게든 출애굽의 하나님을 따라야 한다는 열망이 있었고, 그 열망을 공유하는 동료로서 이스라엘 사람들과 함께 하고자 했습니다.

이로써 우리는 하나님의 처벌과 구원은 동시에 벌어지는 사건임을 알게 됩니다. 하나님께서 땅을 더럽힌 죄인들을 처벌하

심판의 때는 곧 구원의 때

"저희를 받아주세요"

라합   기브온 족속

실 때는, 바로 하나님께 투항하고 언약 백성에 참여할 수 있는 기회이기도 합니다. 라합과 기브온 족속은 새로운 이야기와 새로운 제의 안에서 자신들이 누구인지를 새롭게 이해할 수 있게 되었습니다. 이제 몰렉이 아니라, 자녀를 바치라 하셨지만 그것을 면전에서 중단시키신, 그 아브라함과의 언약의 하나님을 섬기며, 그 아브라함의 하나님의 이야기 속으로 들어온 것이지요. 그들은 새로운 이야기와 삶의 방식 안에서 새로운 자기 자신을 마주하게 되었습니다. 이것은 처벌 속에서 구원을 얻는 이들에게 주어진 하나님의 선물이었습니다.

  지금까지의 내용도 짧게 정리를 해봅시다.

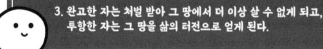

· 지금까지 내용 정리

1. 인간의 범죄는 땅을 더럽히고,
   하나님은 창조주로서 땅을 다시 깨끗게 하신다.

2. 하나님은 판단 기준을 제시하시고,
   그때부터 사람에겐 선택의 기회가 주어진다.
   하나님은 이것을 위해 충분한 시간과 기회를 주신다.

3. 완고한 자는 처벌 받아 그 땅에서 더 이상 살 수 없게 되고,
   투항한 자는 그 땅을 삶의 터전으로 얻게 된다.

이렇게 해서 이스라엘은 가나안 땅으로 들어오게 되었습니다. 그리고 이스라엘을 통해서 저 원칙이 가나안 땅에 세워져야했지요. 옛 습관을 가진 이들은 모두 그 땅에서 살 수 없도록 내쫓아야 했습니다. 그런데 이스라엘 스스로가 하나님의 기준에 무뎌지기 시작합니다. 이걸 여호수아 다음에 나오는 사사기라는 책이 분명히 보여줍니다.

사사기 1:28, 새번역
그런데 이스라엘 백성은 강성해진 다음에도
가나안 사람을 모조리 몰아내지 않고, 그들을 부역꾼으로 삼았다.

불길한 떡밥이지요. 이스라엘은 가나안 사람들을 그 땅에서 모조리 몰아내지 않습니다. 오히려 그들을 종으로 삼아버립니다. 이것이 문제가 되는 것은, 가나안의 삶의 방식이 전염병처럼 남아서 지금은 쌘척하고 있는 이스라엘을 병들게 만들기 때문입니다. 즉 그 땅을 더럽히는 인간의 범죄를 해결하기 위해 보냄받은 이스라엘이 같은 죄에 사로잡히게 될 것입니다. 그리고 이것은 이미 하나님께서 율법을 통해 경고하신 것이기도 했습니다. 기준이 제시해야 할 너희들이 그 기준을 흐릿하게 만들어서는 안된다고 말입니다.

레위기 18:30, 새번역
그러므로 너희는, 내가 지키라고 한 것을 꼭 지켜서,
너희보다 앞서 그 곳에 살던 사람들이 저지른
역겨운 풍습 가운데 어느 하나라도 따라가는 일이 없도록 하여라.
그런 짓들을 하여, **너희가 스스로를 더럽히는 일이 없도록** 하여라.
내가 주 너희의 하나님이다.

　그리고 만일 하나님의 옳고 그름의 기준으로서 보냄받은 이스라엘이, 그 기준에 부합하지 않는다면, 다시 말해서 땅을 더럽힌 이들을 그 땅에서 내쫓기 위해 보냄받은 이스라엘 마저도 땅을 더럽히게 되면, 그들마저도 같은 원칙에 따라 처벌된다는 내용이 율법에 기록되어 있습니다.

레위기 18:27, 새번역
너희가 그 땅을 더럽히면, 마치,
너희보다 앞서 그 땅에 살던 민족을 그 땅이 토해 냈듯이,
너희를 토해 낼 것이다.

그리고 이 불길한 경고들은 훗날 이스라엘에게 현실이 되었습니다.

에스겔 36:17, 새번역
사람아, 이스라엘 족속이 자기들의 땅에 살 때에
그 행위로 그 땅을 더럽혔다.

예레미야가 말합니다.

예레미야 16:12,13, 새번역
너희는 너희 조상들보다도 더 악한 일을 하였다. 너희는 각자 자신의 악한 마음에서 나오는 고집대로 살아가며, 내 명령을 따라 순종하지 않았다. 그러므로 내가 너희를 이 땅에서 쫓아내어...

그래서 여호수아의 군대가 가나안을 정복하러 왔듯이, 이방인 군대가 이스라엘을 점령하러 그들이 더럽힌 가나안 땅으로 진격하는 일이 벌어졌습니다. 바벨론이라는 나라는 이 대목에 등장합니다. 바벨론이 땅을 더럽히는 유대 민족을 침공했을 때, 솔로몬이 가나안 땅에 화려하게 지었던 성전은 이스라엘을 바벨론으로부터 지켜주지 못했습니다. 오히려 바벨론은 그 예루살렘 성전을 무너뜨려버렸고, 하나님의 백성은 바벨론 이후에도 페르시아, 마케도니아, 로마의 지배를 받아야만 했습니다.

우리는 누구인가?

우리는 다시 신천지 사명자의 발언으로 돌아가봅시다.

여호수아가 전쟁하듯 우리도 신천지 교세 확장을 위해 최선을 다하자는 저 말이 가당키나 한가요? 여호수아 전쟁은 땅을 깨끗하게 하는 목적이 있었으므로, 아무데나 갖다 붙일 수 있는 전쟁이 아니었습니다. 그리고 하나님의 판단 기준이 드러나고, 구원과 처벌이 동시에 벌어진 여호수아의 전쟁은 이스라엘의 예언 이야기를 관통할 뿐만 아니라, 우리가 믿는 한 분을 더 깊이 이해하도록 돕습니다. 요엘이라는 예언자는 다음과 같이 말합니다.

"땅아 두려워하지 말아라.

기뻐하고 즐거워하여라.

주님께서 큰 일을 하셨다"

구약 성경 이야기
(창세기~말라기)

요엘

요엘 2장은 시온이라 부르기도 하고, 거룩한 산이라 부르기도 하는 예루살렘에 경보를 울리라는 명령으로 시작됩니다. 이 경보는 메뚜기 군대가 침공하고 있고 땅을 더럽힌 자들에 대한 하나님의 처벌이 임박했다는 소식입니다. 그리고 이 날을 가리켜 "주님의 날"이라 부르고 있습니다. 그런데 그 끔찍한 전쟁의 날 선포 이후에 따라오는 것은 "지금이라도 마음을 돌려 돌아오라"는 하나님의 호소입니다. 그런데 이 대목에서 예언은 땅에게 말합니다. 두려워하지 말고 기뻐하라고. 주님께서 큰 일을 이루셨다고.

여러분, 땅이 기뻐할만한 일이라면 무엇이 있을까요? 인간의 범죄가 땅을 오염시킵니다. 범죄한 사람이 땅에서 쫓겨나고, 그 땅을 죄 짓지 않는 인간, 땅을 더 이상 더럽히지 않는 사람이 차지하는 것이야 말로, 땅이 기뻐할만한 일일 것입니다. 그리고 이어지는 대목은, 그 심판의 날에 하나님께 돌아온 이들에게 부어주신다는 하나님의 영에 관한 예언입니다. 아들, 딸, 노인, 젊은이 심지어 노예에 이르기까지 그 땅에 선언된 하나님의 판단 소식에 마음을 돌린 이들이, 하나님의 영을 받게 됩니다. 즉 요엘이 예언했던 내용은 하나님의 심판 안에서 하나님의 마음을 알고서 돌아오는 이들이 있을 것이고, 반면 심판 받는 이들이 있을 것이며, 돌아오는 이들에게는 하나님께서 자신의 영을 부어주신다는 것이었습니다. 즉 여호수아 전쟁에서 보았던 요소들이 요엘의 예언에 모두 등장합니다.

그리고 이 요엘의 예언을 베드로가 직접 인용합니다. 베드로는 우리가 방금 확인했던 요엘의 구절을 그대로 읽으며, 이것이 자신과, 자신과 함께 있던 사람들에게 현실이 되었다고 말합니다.

사도행전 2:14~18, 새번역
베드로가 열한 사도와 함께 일어나서,
목소리를 높여서, 그들에게 엄숙하게 말하였다.

"유대 사람들과 모든 예루살렘 주민 여러분, 이것을 아시기 바랍니다. 내 말에 귀를 기울이십시오. 지금은 아침 아홉 시입니다.
그러니 이 사람들은, 여러분이 생각하듯이 술에 취한 것이 아닙니다. **이 일은 하나님께서 예언자 요엘을 시켜서 말씀하신 대로 된 것입니다.**

땅을 더럽힌 자들을 향한 하나님의 심판이 시작되었습니다. 그런데 그 심판의 때에 돌아오는 이들이 있었습니다. 하나님은 돌아오는 자들에게 자신의 영을 부어주신다고 하셨고, 베드로가 말한 것은, 그 오랜 예언이 바로 자신과, 또 자신과 함께 있었던 사람들에게 이뤄졌다는 것이었습니다. 이 사람들이 바로 교회의 기원입니다. 그리고 이들을 따라 성령을 받는, 하나님께 투항한 자들이 나타나는 시기가 바로 요엘이 예언했던 ″마지막 날″이라고 베드로가 보증하고 있습니다.

하나님의 옳고 그름의 기준이 드러났을 때

즉 하나님의 판단 기준이신 예수께서 드러나신 날이 곧 마지막 날이자, 여전히 투항의 가능성이 열려있는 날이 마지막 날입니다. 하나님의 숨결을 받아 땅을 더럽히지 않고 살아가는 교회의 시간이 마지막 날입니다. 바로 지금입니다.

그렇다면 이러한 구원과 처벌의 나뉨을 위해 하나님의 판단은 언제 드러났을까요? 무엇이 드러났기에 사람들이 투항하여 성령을 받고 교회가 될 수 있었을까요? 다름 아닌 십자가의 예수입니다. 그이가 인류의 판단 기준으로 땅 위에서 들리셨습니다. 사랑을 위해 자신의 모든 것을 버린 이 사람이 옳습니다. 이 사람이 율법의 모든 내용이 지향하던 바로 그 사람이었습니다. 따라서 이 한 사람만이 "의인"이고, 이 말은 의인으로 인정된 예수를 제외한 모두가 시내산에서 선언된 신판에 근거하여 "죄인"이라는 사실을 폭로합니다. 이제 이 죄인들에게는 완고하게 맞설지, 아니면 하나님께 투항할지의 선택이 남아있습니다. 가나안 정복 전쟁의 시기처럼 말입니다.

그리고 이 '예수를 선택했다'는 말은, 그저 좋은 사후세계를 보장받는 보험에 가입했다는 의미 수준이 아닙니다. **이야기**

의 전환. 십자가에 매달렸다가 삼일만에 살아난 예수는 율법 이야기를 하나도 버리지 않으면서도 재해석하게 만듭니다. 이 새로워진 율법, 곧 복음이라는 이야기로의 전환이, '예수를 믿는다'는 의미입니다. 그리고 이것은 말그대로 우리의 모든 것을 바꿉니다. 일상 뿐만 아니라, 정치적 담론, 성 윤리에 이르기까지, 이전에는 나와 국가의 자유를 위해 살던 이들이, 예수와 교회의 굳건함이라는 기이한 목표를 얻게 됩니다.

　그래서 교회는 기혼주의도 비혼주의도 될 수 없고, 개인의 자유에 따라 결혼과 이혼을 반복할 수 있다는 세상의 주장에 교회는 고개를 가로젓습니다. 우리 자신이 우리의 것이 아니라, 투항하여 그분의 소유가 되었다는 사실로부터 우리의 정체성이 구성되기에, 보수냐 진보냐의 논쟁은 그저 사랑없이 울리는 꽹과리일 뿐입니다. 우리는 세상이 보기에 보수적이면서도 진보적이고, 누구보다 매인 것처럼 보이지만 가장 자유로운 사람으로 보일 뿐입니다. 이쪽이냐 저쪽이냐로 규정될 수 없는 기이한 길이 예수로부터 놓였고, 사도들에 의해 닦였습니다. 우리의 이야기 속에서 이 길의 시작은 에덴에서부터 시작되고, 아브라함에게 약속하셨던 그 땅을 수여 받는 것으로 마무리 됩니다. 이 거대한 이야기가 주는 이 기이한 목표 속에서 사랑의 옷을 입은 인간다움이, 창조세계의 정의가 온전히 실현될 것이라는 정신의 소리가, 우리가 중단할 수 없는 기대가 속에서부터 피어오릅니다. 성령입니다. 광야의 언약 백성을 인도하는 구름 기둥이 우리 속에 있습니다. 성령이 우리를 인간답게 하시고, 우리로 하여금 이야기를 이룰 수 없게 하신다면 천상하지에 무엇이 그렇게 할 수 있겠습니까?

예수에 의해 새롭게 읽힌 율법, 그 안에 있는 여호수아 이야기는 이 마지막 날의 교회를 생생하게 보여주는 그림책과 같습니다. 복음의 소식, 곧 예수의 소식을 들은 우리는 예수를 옳고 그름의 기준이라 선언하신 하나님의 판단에 투항한 사람들입니다. 이 방식으로 무수한 이방인들이 언약백성 안으로 들어갔으며, 이방인인 한국 사람 역시, 바로 이러한 방식으로 하나님의 백성에 참여하게 된 것입니다. 그래서 저와 여러분이 여기에 있습니다. 그래서 우리가 라합이고, 기브온 사람입니다. 예수의 정복전쟁을 통해 새로운 사람이 된 우리입니다.

마치며

우리가 지금까지 살펴본 이야기를 이렇게 그려볼 수 있습니다. 교회인 우리가 살고 있는 '오늘'은 '예수'라는 판단 기준이 드러난, 심판이 벌어지는 중인 마지막 날입니다. 그래서 예수께서도 이렇게 말씀하셨어요. 심판이 시작되었습니다(요한복음 3:18). 즉 하나님의 옳고 그름의 기준이신 예수께서 이미 드러났고, 그 앞에서 오늘을 사는 모두에게는 하나님께 맞설 것

성경 전체 이야기

요한복음 3:18, 새번역
아들을 믿는 사람은 심판을 받지 않는다.
그러나 믿지 않는 사람은 이미 심판을 받았다.
그것은 하나님의 독생자의 이름을 믿지 않았기 때문이다.

이냐, 아니면 하나님께 쥔 두 손을 풀 것이냐의 선택에 놓여있습니다. 신기하게도 이 선택은 모세와 여호수아가 늘 강조하던 것이기도 했습니다.

요한복음 3:18, 새번역
아들을 믿는 사람은 심판을 받지 않는다.
그러나 믿지 않는 사람은 이미 심판을 받았다.
그것은 하나님의 독생자의 이름을 믿지 않았기 때문이다.

신명기
30:15

여호수아
24:15

즉 하나님의 판단이 드러난 마지막 날인 오늘, 하나님은 우리가 하나님의 판단 앞에서 어떤 판단을 내릴지 주목하십니다. 왜냐하면 우리를 아담의 과오를 극복할 새로운 아담들로 보시기 때문입니다. 계명을 지키는 아담, 선악과 앞에서 지식보다 신뢰를 택하는 아담 말입니다. 그리고 이 십자가에서 시작된 하나님의 판결이 마무리 되고나면, 부활한 우리는 아라랏산 위에서 물이 가득 채워진 땅을 바라보던 노아 가족처럼, 하나님의 판단이 모두 시행된, 그래서 "물이 바다 덮음 같이" 하나님의 판단 기준에 모두가 고개를 끄덕이는, 더 이상 땅이 저주나 고통받지 않아도 되는 세상을 보게 될 것입니다.

이사야 11:9, 개역한글
나의 거룩한 산 모든 곳에서
해됨도 없고 상함도 없을 것이니
이는 물이 바다를 덮음 같이
여호와를 아는 지식이 세상에
충만할 것임이니라

그리고 우리 옆에는 오랫동안 자신을 향한 약속이 모두 이뤄지길 기다리고 있었던 아브라함을 비롯해서, 우리가 오늘 만났던 모든 사람들을 우리는 실제로 보게 되는 날이 올 것입니다. 그리고 그 날에 공동 상속자이신 예수께서도 자기 자신을 부활하신 그대로 보여주실 것입니다. 바로 그 새로워진 땅 위에서 말입니다.

하나님의 영광으로 완전히 새로워진 하늘과 땅을 가리켜 성경은 "새 하늘과 새 땅"이라는 이름으로 부릅니다. 성경의 땅에 대한 관심은 바로 여기에서 마무리 됩니다. 여호수아의 가나안을 향한 열망은 예수가 가졌던 새 하늘과 새땅을 향한 열망이었고, 땅을 더럽히지 않는 사람들이 차지할 땅이 바로 새 하늘과 새 땅입니다. 이 땅이 "약속의 땅"이며, 여호수아와 이스라엘이 가나안 땅을 차지했듯 예수를 따르는 이들이 그와 함께 새 하늘과 새 땅을 얻게 될 것입니다. 그리고 그간 사람들의 범죄로 괴로워했던 이제야 땅은 정말로 편히 쉴 수 있을 것입니다.

여호수아 이야기를 안다고 말할 수 있는 것은, 바로 오늘, 새 하늘과 새 땅을 소망하는 이들만 가능한 것입니다. 그들만이 그 이야기가 가리키는 사람들이 '바로 우리' 라고 말할 수 있기 때문입니다. 기도하겠습니다.

**현장에서 강의했던 영상을
유튜브에서 보실 수 있습니다**

다섯 번째 강의 이후

Q. 토라 이야기 전체를 간략하게 요약해봅시다

Q. 광야의 1세대와 2세대를 비교, 대조해봅시다.

Q. 성경이 말하는 사람과 땅의 관계에 관해 이야기 해봅시다.

Q. 토라가 말하는 '심판'은 어떤 것인가요?

Q. 가나안을 구원하고 심판하신 사건에 관해 말해봅시다. 가나안 사람들의 학살에 관해 하나님을 비난하는 이들에게는 어떤 답변이 적절할까요?

Q. "마지막 날을 사는 신약교회"는 어떤 사람들을 가리키는 것인가요?

6장.
창세기와 출애굽기 함께 읽기

*2021년 11월 27일 이천에 있는 이천은광교회 고등부에서 설교한 내용입니다.

하나님의 텐트 이야기

바다를 건넌 이스라엘의 노예들은 마침내 시내산에 이르렀습니다. 이들을 인도한 신은 그들에게 토라를 주며 새로운 삶의 방식을 제시했습니다. 그리고 이것으로 그치지 않고, 광야에서 야영하는 그들 사이에 특별한 텐트를 지으라고 명하셨습니다. 그리고 이 특별한 텐트에 관하여 율법 이야기는 무려 출애굽기 25장부터 40장에 이르는 긴 분량을 할애하고 있습니다.

하나님의 영을 받은 지혜로운 기술자들은 하나님이 제시한 제작 방식대로 이 텐트를 짓기 시작했습니다. 그리고 이 하나님의 텐트, 이스라엘 장막 사이에 하나님이 함께 사신다는 것을 보여주는 이 하나님의 집은 마침내 그 위용을 드러냈습니다. 이 텐트의 이름이 ′성막′입니다.

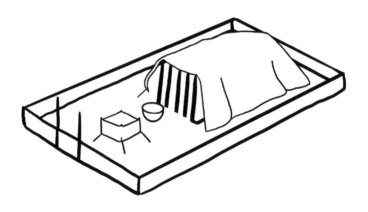

이 하나님의 집은, 하나님 계신 하늘을 닮아 3단 구성 되었습니다. 그리고 마치 종일 족발을 삶는 잘 나가는 가게처럼, 이 성막에서는 고기를 태우는 연기가 그칠 줄 몰랐습니다. 줄곧 제사가 벌어졌기 때문인데, 아침과 저녁마다, 안식일마다, 매달마다, 절기 때마다, 그리고 이스라엘 사람들은 자신이 이스라엘 사람 답지 않은 일이 벌어질 때마다 이스라엘 사람들은 그에 해당하는 동물을 성막의 입구로 데려왔습니다. 성막에서 피어오르는 연기를 보며, 이스라엘 사람들은 우리가 하늘의 하나님과 연결된 사람들이라는 생각을 했을 것입니다.

이스라엘 사람들은 광야를 유랑하다가 구름 기둥이 멈추면 다시 텐트를 치고 야영했습니다. 그러다 다시 구름 기둥이 움직이면 텐트를 거두어 길을 떠났습니다. 그리고 이들 곁에는 늘 성막이 있었습니다. 시내산에서 하나님과 계약을 맺은 백성은 자신들의 진영 한 복판에 있는 성막을 볼 때면, '하늘의 하나님께서 우리와 함께 이 땅에 사신다'는 것을 알 수 있었습니다.

이 성막의 입구는 동쪽에 있는 문이라 "동문"이라 부릅니다. 만일 누군가 잘못을 저질렀다면, 또는 하나님께 감사한 일이 있다면, 규정에 따라 정해진 동물을 이 동문으로 가져옵니다. 이 동문 앞에서 이 성막을 관리하는 제사장들이 기다리고 있습니다. 동물을 데려온 당사자는 제사장의 도움을 받아 그 동물을 잡고, 제사장은 그 피를 제단에 바르고, 동물의 고기는 내장과 기름을 떼어내어 제단에서 태웁니다.

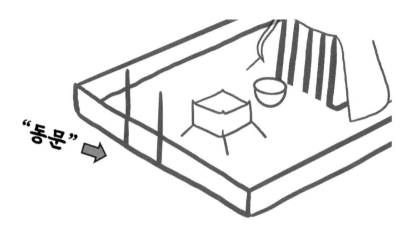

그리고 이 제물을 태우는 번제단 앞에는 물두멍이 있습니다. 물두멍은 놋으로 만든 대야입니다. 제사장은 그 앞에 있는 물두멍에서 씻고서 성소 안으로 들어갑니다. 성소 안에 들어가면 눈에 들어오는 광경보다 불붙은 향에서 피어나는 냄새부터 확 느껴졌을 겁니다. 그 냄새는 새로운 공간으로 들어왔다는 사실을 알 수 있었을 것입니다. 그리고 왼쪽을 돌아보면 "광명체"라 부르는 등불이 놓여있습니다. 그리고 하나의 줄기에서 뻗어나간 일곱개의 등잔 위에, 일곱 개의 등불이 놓여있습니다. 또한 오른쪽으로 고개를 돌려보면 열 두개의 떡을 놓은 상이 있고 그 방 한 가운데는 향 냄새의 근원이 되는 향을 피우는 제단이 놓여 있었습니다.

그리고 그 단 뒤로는 휘장이라 부르는 두꺼운 커튼이 드리워져 있습니다. 이 휘장에는 '그룹'이라 부르는 천사들이 새겨져 있었습니다.

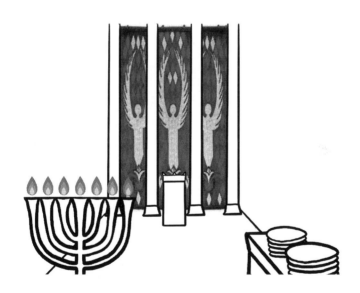

또한 그 커튼 안쪽, 성막에서 가장 깊은 곳에는 언약궤라 불리는 금으로 바른 나무 상자가 놓여있습니다. 그 언약궤 안에는 십계명 두 돌판과 싹이 돋아난 나무 지팡이, 그리고 이스라엘 사람의 주식이었던 만나를 담은 항아리가 놓여있습니다.

이러한 성막의 존재는 광야의 이스라엘 사람들에게, 하늘의 하나님이 지상의 이스라엘 사람들과 함께 사신다는 사실을 눈으로 확인할 수 있게 해주었습니다. 하나님과 이스라엘의 이러한 관계는 하늘과 땅이 이미 만났음을 보여주는 것이고, 이것은 결국 하늘과 땅이 하나될 것이라는 (요한계시록이 자세히 증언하

는) 창조세계 전체의 결말을 미리 내비치는 것이기도 했습니
다.

이야기와 기독교,
그리고 율법과 사이비 이단

　사람이 동물과 다른 점은 ′이야기로 표현되는 삶′에 있습니다. 동물은 자신이 살아온 발자취에 대한 서사가 없습니다. 거기에 의미를 부여하지도 않습니다. 그러나 사람은 그렇지 않습니다. 내가 겪어왔던 경험들이 모여 하나의 이야기가 되고, 그 이야기는 우리가 만들어가는 것임과 동시에, 우리는 그 속에서 살고 있습니다. 그리고 우리는 누군가와 까페에 가고, 밥을 먹으며　각자의 이야기를 가지고 끊임없이 나눕니다. 그리고 돌아와서 넷플릭스를 보고 유튜브를 보며 이야기들을 먹습니다. 이 과정에서 우리는 우리 자신으로 빚어져가고 있습니다. 그래서 ′이야기′는 사람에게 공기와도 같고 먹는 밥과도 같습니다.

기독교는 하나의 이야기를 공유하는 사람들입니다. 창세기에서 시작해서 요한계시록으로 마무리 되는 거대 서사가 기독교인이 누구인지를 규정합니다. 무엇이 기독교를 기독교답게 하는지를 누군가 묻는다면, 단연 기독교가 보존해왔던 이야기부터 말해야 할 것입니다.

그럼 여러분은 어떠신가요? 기독교에 몸담고 있는 여러분은 기독교의 이야기 잘 알고 있나요? 제가 어릴적 주일학교를 다닐 때 교회에서 유익을 누렸던 것이 있다면, 일찍 악기를 배울 수 있었다는 거에요. 그 당시 드럼을 보는 것조차 흔한 일이 아니었지만 교회에 다닌다는 이유로 저는 늘 드럼을 연주할 수 있었습니다. 다른 친구들과 연주도 맞춰보고, 노래도 불러보고 춤도 추는, 그것도 일주일에 한 번 신께 드려야한다는 당위성을 가지고 매주 모여서 같은 활동을 할 수 있는 집단은 정말 독특합니다. 음악을 하는 많은 사람들이, 교회를 통해서 음악을 접했던 것은 이러한 교회 상황의 덕을 보았기 때문일 것입니다. 그런데 저는 교회에서 음악하는 것 좋아하고 찬양하는 것 좋아했지만, 정작 기독교의 이야기를 잘 몰랐어요. 만일 누군가 ´기독교는 어떤 이야기를 가지고 있는지´ 를 그 당시 저에게 물었다면, '예수님이 날 위해 죽어주셨다'는 것 외에 할 말이 별로 없습니다. 심지어 제가 모태신앙이었는데도 말입니다.

제가 서두에서 우리의 삶과 이야기가 맺고 있는 밀접한 관계에 관해 말씀드렸듯, 만일 우리가 기독교의 이야기를 잘 모른다면, 우리의 몸이 만들어가는 이야기는 기독교적일 수 없습니다. '기독교적'이라는 말은 종교 생활에 열심내는 것을 의미하지 않습니다. '기독(基督)'은 '그리스도'를 한자로 표현한 것뿐입니다. 그리고 그리스도는 종교와 정치를 구분하지 않으셨기에, 우리가 예수를 종교 지도자로 그린다면 벌써 예수의 삶에서 어긋나있습니다. 차라리 이렇게 말하는 편이 진실에 더욱 가깝습니다. 기독교는 삶의 방향을 가리킨다고 말입니다. 예수의 삶의 방식이 곧 기독교이고, 기독교인은 그 삶의 방식에 동의하고 따르는 사람들을 가리킵니다. 따라서 기독교는 기독교의 이야기 안에 흠뻑 젖어있을 때, 자연스럽게 구현되고 존재합니다.

-토라

그럼 어디에서부터 이 기독교의 이야기를 파악할 수 있을까요? 신약성경을 보면 예수의 이야기 안에 나오는 사람들은 모두 한 권의 책을 중심으로 대화하고 생각하며 일을 벌이고 있습니다. 그 중심에 놓인 책이 바로 토라입니다. 토라는 창세기부터 신명기까지에 이르는 하나의 이야기를 가리키는 말입니다. 그래서 예수님 자신의 이야기를 읽기 전에 우리는 예수와 예수의 제자들, 그리고 심지어 예수를 향해 환호했고, 예수를 죽였던 유대 지도자들조차 알고 있던 이야기 속 이야기, 바로 거기에서부터 성경 이야기를 파악하기 시작해야 합니다.

-신천지의 미끼

이 땅의 푸르른 청소년 여러분, 저는 오늘 이단 얘기하러 교회의 부름을 받았는데, 이단 얘기를 아직 한 번도 하지 않았어요. 이제 고3들은 대학교에 처음 발 디딘 순간부터 대한민국에 존재하는 온갖 이단들의 제안을 받게 될 거예요. 신천지를 비롯해서, JMS, 하나님의 교회 같은 이단들은 조직의 생존을 위해, 젊은 피를 수혈하길 원합니다. 이런 입장에서 대학 새내기들은 아주 좋은 먹잇감들입니다. 현대의 이단들은 다단계나

세일즈와 비슷합니다. 매력적인 성경 이야기를 미끼로 제시하고, 그 이야기가 당신에게 행복을 줄 것이니 그 이야기 안에서 살자고 권합니다. 그리고 대한민국 사회에서 이토록 이단 문제가 커진 것은(이단에 속한 사람들이 200만 정도라고 추산을 합니다), 그 매력적인 이단의 이야기를 듣고서 설득되었기 때문입니다. 그 이야기가 잘못되었다는 사실을 분별할 수 없었기 때문입니다. 그런데 모든 이단 이야기의 특징, 그들이 예수를 말하든, 하나님을 운운하든, 그들의 이야기는 영화의 일부 장면을 짤라서 자신들 입맛대로 왜곡시켰을 뿐입니다. 시작을 지우고 자신들의 입장으로 성경을 단편적으로 읽어낸 것에 지나지 않습니다. 신천지가 사용하는 다음의 질문들이 적절한 예시가 될 거에요.

- 아담이 생물학적인 첫 사람이겠니?
- 가인이 결혼했다고 하니까, 아담 외에도 다른 사람들도 있었던 것 아니겠어??
- 뱀이 어떻게 말할 수 있겠어. 그러니 창세기는 비유야.
- 생명나무와 선악나무는 뭐라고 생각해?
- 첫째날 빛이 만들어졌는데, 그럼 넷째날 만들어진 해달별은 뭐야?

여러분, 만일 누군가 여러분에게 찾아왔다고 생각해보세요. 우연히 만난 그 사람은 여러분과 같은 관심사를 가지고 있었습니다. 그래서 그 사람과 급속도로 가까워졌고, 몇 달 동안이나 친밀한 관계를 갖게 되었습니다. 그런데 그 사람이 성경 이야기를 꺼내기 시작하더니, 저런 질문을 묻기 시작한다면, 그래서 여러분의 호기심을 자극하고, 여러분에게 성경 이야기를 꺼내려고 한다면 여러분은 어떻게 반응하시겠어요?

저 질문들은 서로 연결되어 신천지의 이야기를 구성합니다. 아담이 생물학적인 첫 사람일 수 없다는 신천지의 입장은 두 번째 질문과 연결됩니다. 만일 아담이 생물학적인 첫 사람이라면, 아담의 첫째 아들인 가인은 누구와 결혼을 했겠느냐는 것입니다. 그리고 아담은 인류의 첫 사람이 아니라, 인류를 대표하는 사람이었다고 말합니다. 그리고 그 인류를 대표하는 사람이 달라졌다고 주장합니다. 아담에서 노아로, 노아에서 아브라함으로, 아브라함에서 모세로, 이후 예수님으로, 예수님 이후 교회 목사들로, 그리고 결말에는 이만희씨에게로 연결됩니다.

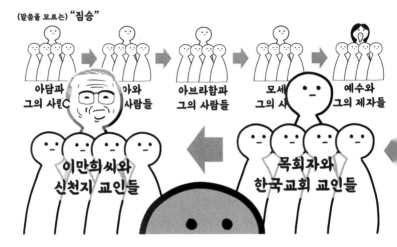

(말씀을 모르는) "짐승"

아담과 그의 사람들 · 노아와 그의 사람들 · 아브라함과 그의 사람들 · 모세와 그의 사람들 · 예수와 그의 제자들

이만희씨와 신천지 교인들

목회자와 한국교회 교인들

그리고 '말하는 뱀'이 가당키나 하겠느냐며 창세기는 비유로 읽어야 한다고 주장합니다. 그리고 이 질문은, 그 다음 다음 질문과도 연결되는데, 창세기가 비유이기 때문에 생명나무는 이만희씨를, 선악나무는 지역 교회의 목회자들을 의미한다고 가리킵니다. 그리고 첫째날 빛이 있음에도 넷째날 해달별을 또 만드는 것이 상식에서 벗어나듯, 이 내용 역시 비유라서, 해는 목사, 달은 전도사, 별은 성도로 읽어야 한다고 가르칩니다. 이상의 내용을 수용하면, 다음의 내용이 어떻게 읽힐지 상상해보세요.

마태복음 24:29
그 날 환난 후에 즉시 해가 어두워지며
달이 빛을 내지 아니하며 별들이 하늘에서 떨어지며
하늘의 권능들이 흔들리리라

이 구절을 교회의 패망으로 읽어버리게 됩니다. 신천지 교인들은 이러한 해석을 "깨달았다"고 말하는 것입니다. 여러분은 이러한 해석에 관해 어떻게 생각하시나요? 우리는 교회로서 저 질문들에 관해서 무어라 말할 수 있을까요?

성경을 읽는 방법과 적용

　그럼 우리는 교회로서, 저 이단들이 자신들의 무기 삼은 질문 앞에 어떤 대답을 들려줄 수 있을까요? 질문에 대한 답변 전에 중요한 것은 성경을 대하는 태도와 관점입니다. 다음의 원칙들을 기억해주세요.

-영화는 일단 다 봐야 평론이 가능하다
-감독의 의도를 염두해 두고서 읽을 것
-단어에 꼽히지 말고 상황을 상상할 것

　따라서 저 창세기 질문에 관해서 논하려면, 일단 창세기에서 신명기까지는 한 번이라도 읽어봐야 합니다. 모세가 기록한 율법이 통채로 하나의 이야기이기 때문입니다. 그리고 읽어나갈 때, 이것을 기록한 모세의 입장에서 읽어나가야 합니다. 성경은 성경을 기록한 사람의 입장에서 읽어야하는 책입니다. 사실 성경 뿐만 아니라 모든 책이 그래요. 기록자의 생각, 기록자의 문체, 기록자의 상황, 기록자의 입장이 성경 면면에 남아있습니다. 혹자는 말합니다. '성경에서 인간 기록자의 흔적이 발견된다면, 하나님의 말씀이 아니잖아요' 그럴리가요. 인간 기록자의 인간다움을 통해서 하나님의 뜻이 드러난다는 것이 기독교의 진리가 갖는 특징입니다. 마치 예수께서 하나님이자 사람이시듯 말입니다.

마지막으로 반드시 필요한 것이 상상력입니다. 우리는 성경 읽기를 통해서 당대 사람들의 경험을 읽어내자는 것이지, 사전을 만들자는 것이 아니니까, 몇몇 단어들의 의미에 꽂히지 말고, 읽고 당대 사건을 떠올려봐야 합니다. 그리고 이 정도의 원칙만 기억하더라도, 우리가 앞에서 보았던 질문들을 완전히 다른 차원에서 고민해볼 수 있습니다.

1) "아담은 첫 사람이 아닙니다"(?)

아담이 생물학적인 첫 사람인건
과학적으로 말이 안되잖아

그리고 가인이 결혼했다고 하니까,
아담 외에도 다른 사람들도 있었던 것 아니겠어??

위의 질문을 율법을 기록한 모세의 입장에서 이 질문을 생각
해 봅시다. 모세는 아담을 인류의 첫 사람이라고 생각했을까
요? 사실 이 질문은 모세의 관심사가 아닐지도 모릅니다. 모세
는 후대에 자신의 글을 놓고 이게 과학적 사실과 맞네, 안맞네
싸울 것이라고는 상상하지도 못했을 거에요. 그는 그저 하나님
께 전달받은 이야기를 광야의 이스라엘에게 전달할 뿐입니다.

그런데 이점을 기억하면, 우리는 에덴동산의 아담과 가나안 땅의 이스라엘 사람들 사이에서 공통점을 발견할 수 있습니다. 바로 죄를 저지르고 자신이 살던 땅에서 하나님에 의해 쫓겨났다는 사실입니다. 따라서 가나안 땅을 잃고 이방 제국들의 군홧발 아래서 포로 생활을 하던 이스라엘 백성이 토라 이야기를 읽었다면, 그리고 그들이 이 율법 이야기에 나오는 아담 이야기를 읽었다면, 그들은 아담을 통해서 '아, 우리가 아담과 똑같은 사람들이구나' 라고 생각했을 것입니다.

율법에 나오는 아담 이야기를 가만 읽어보면 우리의 시선을 사로 잡는 이런 대목이 있습니다.

창세기 2:8, 새번역
주 하나님이 동쪽에 있는 에덴에 동산을 일구시고,
지으신 사람을 거기에 두셨다.

창세기 2:15, 새번역
주 하나님이 사람을 데려다가 에덴 동산에 두시고,
그 곳을 맡아서 돌보게 하셨다.

일단 '에덴'이 지명이고, 그 에덴이란 곳에 하나님께서 동산을 일구셨다는 것을 알 수 있습니다. 따라서 우리가 '에덴 동산'이라고 편하게 부른다해도 사실은 '에덴 지역에 있는 동산'을 의미하는 것입니다. 그리고 아담은 에덴에서 창조되지 않았다는 사실도 알 수 있습니다. 에덴은 하나님께서 아담을 창조하신 곳이 아니라, 아담을 데려다 놓은 곳입니다. 기독교 진영 안에는 그 동산 밖에 아담 외에 다른 사람들이 있었다고 말하는 사람들도, 없었다는 사람들도 모두 있습니다. 즉 이 문제는 우리에게 중요한 문제가 아니라는 말입니다. 교회를 버리고 신천지를 선택할 문제는 더더욱 아닙니다. 그보다 중요한 것은, 하나님의 목적입니다. 하나님은 그 아담에게 그 에덴에 있는 동산을 맡아서 돌보는 일을 맡기셨습니다.

생각해보니 아브라함의 후손인 이스라엘도 그렇습니다. 하나님은 이집트에 살고 있던 이스라엘 사람들을 이끌어와서 시내산에서 그들에게 임무를 맡기셨으니까요. 그들에게는 "제사장 나라"라는 임무를 주셨습니다. 제사장 나라는 아브라함 언약의 일환으로, 하나님을 신뢰하는 세계 일등 모범 시민이 되라는 것이었습니다. "제사장 나라"라고 부르신 것은 제사장이란 하나님과 사람을 연결시키는 역할을 하는 직책이기 때문입니다. 이처럼 하나님을 신뢰하는 이스라엘 민족을 통해, 모든 민족이 하나님과 연결될 수 있도록, 하나님을 사랑하고 이웃을 사랑하는 새로운 실천이 이 제사장 나라인 이스라엘에게 맡겨졌습니다. 이처럼 '아담'은 율법 이야기 안에 있는 다른 이야기들과의 연장선 속에서, 그 초점을 이스라엘에 맞추어야 바르게 이해할 수 있습니다. 모세는 현대인의 호기심에 답하고자 율법을 쓴 것이 아니니까요.

우리가 아담처럼 계명을 어기고 땅에서 쫓겨났구나

율법 이야기 안에서
아담은 이스라엘을 비춰주는 거울입니다

다시 아담으로 돌아갑시다. 아브라함에게는 언약이 맡겨졌고, 이스라엘에게는 율법이 맡겨졌다면, 아담에게는 동산이 맡겨졌습니다. 에덴 지역의 동산이지요. 그리고 그 동산의 가장 깊숙한 곳에는 두 개의 나무가 있었지요.

창세기 2:9, 10, 새번역
주 하나님은 보기에 아름답고 먹기에 좋은 열매를 맺는
온갖 나무를 땅에서 자라게 하시고,
동산 한가운데는 생명나무와
선과 악을 알게 하는 나무를 자라게 하셨다.
강 하나가 에덴에서 흘러나와서 동산을 적시고,
에덴을 지나서는 네 줄기로 갈라져서 네 강을 이루었다.

그러니까 그림을 그려보면, 하나님 창조하신 땅이 있고, 이 땅의 한 가운데 에덴이라는 곳이 있고, 그 곳에 동산이 있습니다. 그리고 하나님은 그 동산 한 가운데에 생명나무와 선악을 알게 하는 나무를 자라게 하셨습니다. 그리고 동산의 모든 나무는 이 모든 사람을 대변하는 이 사람들에게 허락되었습니다. 즉 아담과 하와는 생명나무의 열매를 먹을 수 있었습니다. 그러나 단 하나, 선악을 알게 하는 나무의 열매만큼은 이 동산을 맡은 사람들에게 금지되었습니다.

　제가 앞에서 아담은 인류의 첫 사람이냐, 아니냐의 문제보다 중요한 것은 이스라엘 백성을 대변한다는 것을 말씀드렸습니다. 그렇다면 아담처럼 이스라엘에게도 금지된 것이 있었을까요? 있지요! 제사장 나라인 이스라엘에게는 율법을 벗어나 어기는 것이 금지 되었습니다. 둘 다 하나님께서 명하신 금지이지요. 그럼 하나님께서 아담에게나 이스라엘에게나 자신의 명을 어길 것을 금지시키신 이유가 있습니다.

하나님을 신뢰하는 것이 사람이 사람답기 때문입니다. 따라서 하나님께서 주신 금지 명령에 대한 위반은 하나님과의 신뢰를 깨는 것이고, 이것은 비인간화의 결과로 이어집니다. 그래서 아담은 하나님께서 맡겨주신 땅에서 금지 명령을 어겼다가, 그 땅에서 쫓겨나 나그네가 되어야 했습니다. 그래서 이스라엘도 하나님께서 주신 가나안 땅에서 하나님의 율법을 어겼다가, 그 땅에서 쫓겨나 나그네가 되어야 했습니다.

이처럼 창세기 첫 대목에 나오는 모든 이야기는 이스라엘과의 관계 속에서만 해석될 수 있습니다. 아담은 하나님과의 신뢰를 깨뜨린 이스라엘의 범죄와 '땅에서 쫓겨남'이라는 그 결과를 압축적으로 보여주는 한 명의 사람입니다. 그리고 선악을 알게 하는 나무의 열매는 이스라엘에게 주신 금지 명령인 율법에 대응합니다. 그럼 생명나무가 하나 남습니다. 우리는 생명나무를 어떻게 이해해야 할까요? 생명나무의 정체를 알기 위해선 역시나 우리는 율법의 다른 대목을 참조해야 합니다. 특히 이스라엘 이야기에 집중해야 합니다.

에덴에 있던 동산은 하나님께서 사람과 함께 하기 위해 만든 집이었습니다. ´아담´ 이라는 말은 티끌, 먼지라는 단어에서 왔습니다. 즉 아담이라는 사람은 영원불멸의 존재로 창조되지 않았습니다. 영원은 하나님 한 분에게만 해당되는 말입니다. 즉 아담은 하나님께서 금지하지 않으셨던 생명나무의 열매를 먹지 않고는 죽을 수 밖에 없는 존재였습니다. 그런데 그 아담이 하나님의 금지 명령을 어겼고, 에덴에서 쫓겨나 생명나무에 접근할 수 없게 되었을 때, 아담에게는 정말 죽음이 시작된 것이었습니다.

창세기 3:22~24, 새번역
주 하나님이 말씀하셨다.
"보아라, 이 사람이 우리 가운데 하나처럼,
선과 악을 알게 되었다. 이제 그가 손을 내밀어서,
생명나무의 열매까지 따서 먹고,
끝없이 살게 하여서는 안 된다."
그래서 주 하나님은 그를 에덴 동산에서 내쫓으시고,
그가 흙에서 나왔으므로, 흙을 갈게 하셨다.
그를 쫓아내신 다음에,
에덴 동산의 동쪽에 그룹들을 세우시고,
빙빙 도는 불칼을 두셔서,

생명나무에 이르는 길을 지키게 하셨다.

즉 하나님은 범죄한 아담이 불멸을 얻기를 원치 않으셨습니다. 이것은 마치 히틀러가 죽지 않는 것처럼 아담 본인에게나, 이후 인류에게나 끔찍한 일이 될 것이기 때문입니다. 그래서

창세기 3:24, 새번역
그를 쫓아내신 다음에,
에덴 동산의 동쪽에 그룹들을 세우시고,
빙빙 도는 불칼을 두셔서,
생명나무에 이르는 길을 지키게 하셨다.

아담은 더 이상 생명나무에 접근할 수 없도록, 동산에서 쫓겨나 땅을 일구며, 생명을 주시는 하나님을 신뢰하는 것을 다시 배워야 했습니다.

하나님은 후에 그 아담을 닮은 사람들을 이집트로부터 데려와 시내산으로 인도하셨습니다. 그 내용이 바로 율법 안에 있는 출애굽기라는 내용이지요. 그 출애굽기 전체가 40장인데 그 절반에 해당하는 25장부터 40장까지가 바로 성막 만들기에 집중되어 있습니다. 그리고 그 성막이 '하늘의 하나님께서 이스라엘과 함께 이 땅에 사신다'는 것을 알 수 있게 하는 하나님의 집입니다. 즉 성막은 에덴을 구현한 것입니다.

그래서 에덴의 입구가 동쪽에 있듯, 성막의 입구는 동쪽에 있습니다. 그래서 "동문"이라고 부릅니다. 이 동문으로 들어가면 성막 뜰이 나옵니다. 그리고 뜰을 지나 더 안쪽으로 들어가면 성소가 나옵니다. 일반인은 들어갈 수 없는, 제사장만 들어갈 수 있는 이 금단의 영역으로 들어가면 우리가 아까 보았던 것들이 있습니다. 이 성막은 에덴을 구현해놓은 것이자, 하나님 계시는 하늘을 빗대어 만든 것입니다.

유대인들은 하늘이 3층으로 구성되어 있다고 생각했습니다. 그래서 성막도 3단 구성으로 되어 있습니다. 즉 성막으로 들어가는 과정은, 더 깊은 하늘로 들어간다는 것입니다.

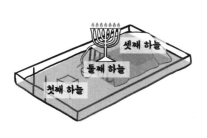 

　그래서 해, 달, 별이 매달려 있는 하늘은 '둘째 하늘'입니다. 그리고 이 하늘에 놓인 이 등불을 여러분은 무엇이라 부르시겠어요? 하늘의 등불이라면. "별"이지요. 성경에서는 다음의 표현을 씁니다.

창세기 1:14~19
하나님이 말씀하시길,
하늘의 궁창에 **광명체들**이 있어 밤낮을 나뉘게 하라 하고,
광명체가 절기와 날짜를 구성하고 땅을 비추라 하시니,
그렇게 되었고, **두 큰 광명체**를 만들어 큰 것은 낮을,
작은 것은 밤을 다스리고, 또 별들을 만드셔서
하늘의 궁창에서 땅을 비추게 하셨다.
하나님 보시기에 좋았다. 저녁이 되고 아침이 되니 넷째날이었다.

즉 해, 달, 별을 성막에서 사용하는 "광명체"라 부르는 것은 창세기가 창조세계 전체를 무엇으로 보고 있는지를 보여줍니다.

출애굽기 27:20
"너는 이스라엘 자손에게 명하여, 올리브를 찧어서 짜낸 깨끗한 기름을 가져다가 광명체를 켜게 하되, 그 광명체는 늘 켜 두어라.

하나님 창조하신 우주 전체가 하나님의 집인 것이지요. 성막은 창조세계 전체를 상징하고 있고, 성막을 통해 우리는 창조세계가 하나님의 집이라는 사실을 알게 됩니다.

"그룹들"

그리고 휘장이 있습니다. 휘장에는 그룹들이 새겨져있어요. 그룹은 천사들입니다. 즉 우리는 이 휘장 안쪽에 무엇이 있을지 에덴 동산 이야기를 읽었다면 알 수 있습니다. 그렇습니다. 생명나무!

하나님께서 이스라엘에게 성막을 지으라 명하신 것은, 다시 에덴에 있었던 동산을 주시겠다는 것입니다. 그리고 그 동산 한 가운데 하나님의 금지 명령과 생명 나무가 있었던 것처럼, 저 휘장 뒤에는 어겨선 안되는 하나님의 명령이 들어있습니다. 십계명입니다. 그리고 아론의 싹 난 지팡이가 있습니다. 그리고 이스라엘의 주식이었던 만나가 들어있습니다. 이 세 가지 모두 에덴에 있던 동산의 구성 요소들과 관련이 있습니다.
선악을 알게 하는 나무, 생명나무 그리고 동산을 맡은 이들에
게 자유롭게 먹도록 허용된 나무.

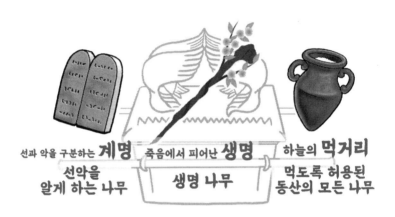

선과 악을 구분하는 **계명**　죽음에서 피어난 **생명**　하늘의 **먹거리**
선악을　　　　　생명 나무　　　먹도록 허용된
알게 하는 나무　　　　　　　　동산의 모든 나무

결론 및 정리

그래서 이스라엘은 아담을 보여주고, 성막은 에덴을 보여줍니다. 그리고 이 이야기를 담고 있는 율법을 인간과 우주를 가리키고 있습니다. 아담은 죄인의 전형을 보여주는 인물입니다. 그래서 아담 이야기를 읽고 있으면 죄를 지은 이후 두려워서 숨고, 잘못을 지적받으면 다른 사람의 책임으로 떠넘기는 죄인의 전형적인 면모를 보여줍니다. 그래서 우리가 정직한 태도를 가지고 성경의 첫 대목을 읽는다면 누구라도 이렇게 말할 겁니다. '아, 아담과 내가 똑같구나' 그래서 아담은 모든 사람을 비추는 거울과 같습니다. 우리가 하나님의 명령을 어기고 싶어하고, 어긴 이후에 죄책감과 두려움이 몰려오지만, 뻔뻔한 모습으로 일관할 수 있음을 보여주는 인간성의 거울입니다. 그래서 흔히 '아담이 범죄했는데 왜 내가 죄인이지요?' 라고 묻는 사람이 있는데, 그 사람은 사실 자신 안에 아담과 같은 인간성이 있다는 사실을 생각해볼 필요가 있습니다. 그래서 아담의 범죄는 곧 모든 인간을 대변합니다.

그리고 방금 말씀드렸듯, 성막은 곧 에덴이자, 창조세계 전체를 요약하는 건물이었습니다. 그래서 성경이 이렇게 말할 수 있는 것이지요.

사도행전 7:48, 49, 새번역
그런데 지극히 높으신 분께서는
사람의 손으로 지은 건물 안에 거하지 않으십니다.
그것은 예언자가 말하기를
'주님께서 말씀하신다.
하늘은 나의 보좌요, 땅은 나의 발판이다.
너희가 나를 위해서 어떤 집을 지어 주겠으며
내가 쉴 만한 곳이 어디냐?'

그리고 예수가 있습니다. 그분이 십자가에 달리셨을 때 지성소와 성소를 가르는 휘장이 찢어졌습니다. 즉 가장 깊은 하늘로 들어갈 수 있는, 다시 말해 에덴의 생명나무에 접근할 수 있

는 길이 열린 것입니다. 이것을 잘 보여주는 것이 히브리서라
는 책입니다.

히브리서 4:14
그러나 우리에게는 하늘들을 통해
위대한 대제사장이신 하나님의 아들 예수가 계십니다.
그러므로 우리의 신앙 고백을 굳게 지킵시다.

히브리서 9:24
그리스도께서는 참 성소의 모형에 지나지 않는,
손으로 만든 성소에 들어가신 것이 아니라,
바로 그 하늘 성소 그 자체로 들어가셨습니다.
이제 그는 우리를 위하여 하나님 앞에 나타나셨습니다.

　예수의 십자가로 휘장이 찢어졌고, 생명나무의 길이 열렸기
때문에 이 창조세계에 사는 아담들은, 하나님을 다시 신뢰하
는 것으로 범죄들을 용서받고 새로운 삶을 살 수 있게 된 것입
니다. 그 하늘의 예수와 함께 사는 삶을 가리켜 영생이라 부릅
니다.

디도서 1:2,3, 새번역

나는 거짓이 없으신 하나님께서

영원 전부터 약속해 두신 영생에 대한 소망을 품고 있습니다.

하나님께서는 제 때가 되었을 때에

하나님의 이 약속의 말씀을

사도들의 선포를 통하여 드러내셨습니다.

나는 우리의 구주이신 하나님의 명령을 따라

이것을 선포하는 임무를 맡았습니다.

그리고 그 영생의 삶은 더 이상 죄 짓지 않는, 그리고 죽음 이후 영광의 부활이 약속된 삶을 말하는 것입니다. 이상의 내용을 알게 된 청소년 여러분, 신천지가 여러분을 속이기 위해 던진 질문들이 이제는 어떻게 보이시나요?

Q. 아담이 생물학적인 첫 사람이겠니?

Q. 가인이 결혼했다고 하니까, 아담 외에도 다른 사람들도 있었던 것 아니겠어??

Q. 뱀이 어떻게 말할 수 있겠어. 그러니 창세기는 비유야.

Q. 생명나무와 선악나무는 뭐라고 생각해?

Q. 첫째날 빛이 만들어졌는데, 그럼 넷째날 만들어진 해달별은 뭐야?

아담이 생물학적인 첫 사람인건
과학적으로 말이 안되잖아
그리고 가인이 결혼했다고 하니까,
아담 외에도 다른 사람들도 있었던 것 아니겠어??
뱀이 어떻게 말할 수 있겠어.
그러니 창세기는 비유야.
생명 나무와 선악 나무는 뭐라고 생각해?
첫째 날 빛이 만들어졌는데,
그럼 넷째 날 만들어진 해,달,별은 뭐야?
아담에게 가죽옷을 입히신 것은,
아담이 짐승 같은 사람이 되었다는 뜻이야

율법

율법 한 번 꼼꼼히 읽고 유기적으로 상상해보지 않은, 현대인들의 통념을 건드리는 질문들입니다. 이 질문들에 어떻게 답할지를 궁리할 때 우리는 율법 내용에 관한 이 질문들을 누구의 관점과 태도로 봐야 하는지를 쉽게 잊습니다. 우리가 그저 모세와 이스라엘을 떠올리는 것만으로도 저 질문들은 진리에 다가가기 위해 호기심 가질만한 것이 아니라, 우물가에서 숭늉을 찾는 것처럼, 글에 접근하는 어리석은 방식이라는 사실을 깨닫게 됩니다.

청소년 여러분, 모쪼록 새로운 것에 마음을 빼앗기지 마시기 바랍니다. 오히려 옛 이야기 속에 여러분을 위한 진정한 새로움이 있고, 그것이야 말로 여러분의 삶의 등불이 될 것입니다. 기독교의 전통을 여러분들께 부탁합니다.

현장에서 강의했던 영상을
유튜브에서 보실 수 있습니다

여섯 번째 강의 이후

Q. 광야에 세워진 성막을 상상하며, 그림 그리듯 설명해봅시다.

Q. 성경을 읽기 전에 유념해야 할 세 가지 태도와 한 가지 중요한 요소를 본문의 내용을 토대로 정리해봅시다.

Q. 창세기와 과학의 관계에 관해 이야기 해봅시다.

Q. 출애굽기의 성막과 창세기의 창조 이야기를 비교해봅시다.

Q. 토라가 말하는 인간은 어떤 존재인가요?

7장.
토라의 결말

*2021년 12월 8일 안양에 있는 안양교회 청년부에서 설교한 내용입니다.

여러분 안녕하세요. 제가 사전에 미리 보내드린 영상을 다 보셨나요? 여러분은 어떻게 느끼셨는지 궁금합니다. 그 영상은 신천지를 탈퇴한 분이 자신이 신천지에서 가르쳤던 내용 그대로를 재연한 영상입니다.[4] 즉 신천지에서 사용되는 교육 내용 그 자체이지요. 제가 지금 진행되는 시리즈를 마무리하려고 했을 때, 이 친구가 저에게 "소장님, 구약에서 신약으로 넘어가는 내용은 꼭 다루셔야 한다"고 신신당부를 했어요. 그리고 자신

---

4 각 장들에서 다루었던 주제들에 관하여, 신천지 복음방에서 다루는 내용을 재연하여 영상으로 만들어 두었고, 안양교회 청년들에게 미리 보여주었습니다. 큐알코드로 연결한 영상의 고정 댓글에서 링크를 확인하실 수 있습니다.

은 신천지에서 배웠던 내용들 중 이 내용 만큼은 그래도 얼추 옳은 것으로 생각한다 했습니다.

지금 저와 여러분은 오늘 하루 설교가 아니라 좀 더 큰 그림 안에 들어와있습니다. 올해 8월부터 저는 <토라 이야기의 밑그림>이라는 새로운 시리즈로 교회들을 돌며 강의를 하고 있어요. 이 시리즈는 신천지를 처음 접했을 때 배우는 내용에 교회가 효과적으로 대처하게 하기 위해 만든 강의입니다. 소위 신천지의 교리에 대해서 "비유풀이다", "씨, 밭, 나무, 새를 가지고 가르친다" 정도로 알려져있지만, 사실 신천지의 교육 내용은 우리 생각보다 훨씬 주도 면밀합니다. 기독교인들, 혹은 기독교인들이 아니더라도 흔하게 가지고 있는 통념들을 기반으로 설득력있는 신천지 이야기를 구축합니다.

지금 보시는 것은 유튜브에 올라온 지난 강의들입니다. 각각의 강의들은 신천지 교인들에게 익숙하지만, 기독교인들조차도 선뜻 답하지 못했던 질문들을 다루고 있습니다. 그리고 이 질문들은 신천지에 입문하는 첫 내용이자, 신천지의 것과 교회의 것이 엄밀하게 구분되지 않았던 그 통념들은 모두 '율법'에 관한 것이었습니다. 율법은 창세기부터 신명기까지의 문서들로 구성된 성경의 첫 다섯 권의 책을 말합니다. 이 다섯권에서 사이비 이단 문제 해결의 성패가 결정되었던 것입니다.[1]

그리고 지금 우리는 일곱 번째 내용을 다루고 있습니다. 그리고 오늘 우리가 다룰 신천지 교육 내용에 관한 영상을 여러분들께 미리 봐주시라고 부탁을 드렸습니다. 영상 길이가 다소 길었지만, 그럼에도 전달하고자 하는 요지는 아주 간단합니다. 한 눈에 정리해볼 수 있습니다.

1) 약속에는 옛 약속(구약), 새 약속(신약)이 있다.
2) 약속의 구성 요소에는 약속의 대상, 내용, 성취가 있다.

신천지는 구약과 신약을 저 구성요소에 따라 살펴볼 것을 제안합니다. 그리고 구약은 이스라엘에게, 신약은 모든 사람에게 하는 약속이고, 그 약속의 내용이란 아주 단출하게 정리 됩니다. 구약은 메시아가 오신다는 것이고, 신약은 메시아가 다시 오실 것이라고 말입니다. 그래서 성취 내용이 기록되기를 구약의 성취는 복음서에, 신약의 성취 내용은 요한계시록에 쓰여있다는 것입니다.

여러분에게는 저러한 주장이 어떻게 들리시나요? 얼핏 들으면 합리적으로 들리지 않나요? 그러나 이렇게 알고 있으면, 요

신천지 복음방 교육 내용 : 구약과 신약

- 약속에는 옛 약속(구약) 과 새 약속(신약)이 있다
- 약속의 구성 요소 : 약속의 대상, 내용, 성취

	구약	신약
약속의 대상	이스라엘	모든 사람
약속 내용	메시아가 오실 것	메시아가 다시 오실 것
성취 내용	복음서	요한계시록

한계시록을 신약에서 떼어놓고서, 아주 자연스럽게 다음의 결말을 향하게 됩니다. 이스라엘이 메시아를 거절했듯, 한국 교회도 이미 다시 온 메시아를 거절하고 있다고 말입니다. 신천지 교인이 다시 오신 메시아라 말하는 것은 이만희씨의 몸 속에 영으로 재림했다는 예수입니다. 그러나 이미 이만희씨 속에 재림이 이뤄졌는데, 한국교회가 마치 복음서의 서기관, 바리새인들처럼 신천지를 박해하고 있다는 것이 신천지 교인들의 공통된 생각입니다. 그리고 이러한 기괴한 결론으로 향하는데에는, 저 신천지가 교육하는 구약과 신약의 연결 관계가 다리를 놓고 있습니다. 물론 복음방 단계에서는 이러한 결말을 노골적으로 드러내지는 않기 때문에 더더욱 위험합니다. 구약과 신약에 대한 잘못된 이해가, 우리의 이웃들로 하여금 이만희씨를 따르게 만들어버리는 초석이기 때문입니다. 그리고 속이고 있는 사람들 역시 자신들이 속고 있다는 사실을 모르고 있다는 점이 문제를 이중으로 꼬이게 만듭니다. 게다가 교회조차 저 내용의 문제를 확실하게 인지하고 표현하지 않았습니다. 그저 '신천지 아웃'이라는 간편하고 단조로운 외침 외에, 철저한 분석과 적절한 이해를 갖추지 않았습니다.

우리가 앞에서 보았던 구약과 신약에 관한 신천지의 복음방 교육 내용의 허위를 드러내기 위해서는 어떤 내용이 필요할까요? 제게는 단어 하나가 아주 눈에 밟힙니다. 저 가운데 놓여 있는 '메시아'라는 단어입니다. 메시아라는 단어가 여러분에게 익숙하리라 생각합니다. 여러분은 어떻게 알고 계신가요? 제가 주변에 물어보니 '기름 부음 받은 자', '구원자'의 의미로 이해되는 단어가 메시아였습니다. 그리고 신천지 교인들도 이렇게 알고 있습니다. 그래서 저런 짧은 정의만으로는 신천지와 신약교회의 차이를 명확하게 드러낼 수가 없습니다. 제가 앞에서 말씀드렸듯이, 신천지와 교회의 성경 해석이 질적으로 다르다는 것을 보여줄 수 있는 첩경, 그리고 교회의 성경 이해를 더욱 튼튼하게 만드는 방법은 바로 이야기에 있습니다. 그러나 교회조차 율법 이야기를 충실하게 들여다보지 않고, 이 정도의 사전식 이해에 만족하는 경향이 있습니다.

단어를 놓고, 그 단어에 관해 떠오르는 아무런 이미지 없이, 그저 단촐한 의미만 알고 있는 것은 사실 책을 재미있게 읽는 방법이 아닙니다. 어떤 외국인이 '금도끼와 은도끼' 이야기를 읽어보지 않고, 그 이야기에 나오는 "금도끼"의 정의부터 하려는 것과 같습니다. '나무꾼이 호수에 첫 번째 빠뜨린 도끼' 라고 정의할 수는 있겠지만, 이런 단어 규정에 열심을 내봐야 이야기를 직접 읽어보는 것만 못합니다. 스탠리 하우어워스라는 신학자는 신학이 학문 분과로 발전할 때 그건 교회의 실천과 무관해진다고 말했습니다. 그런데 오늘날의 신학과 교회가 이 문제를 오롯이 겪는듯 합니다. 학문은 발전하지만, 그래서 단어에 관한 정의들은 세분화되고 많아졌기에, 정작 이야기는 실종되었습니다. 그런 와중에 신학은 전문화되어 교회와 멀어지고, 신학자들의 전유물처럼 여겨집니다.

이러한 학계와 교계가 균열되어 있는 문제를 해결하기 위해서는, 저는 이것이 우리 시대 교회가 반드시 풀어야 하는 숙제라 생각하는데, 사실 이것을 해결하는 방법은 간단합니다. 사전식 정의에 만족하지 않고서, 그 단어가 본래 놓여있던 풍성한 이야기로 돌아가는 것입니다. '메시아'라는 단어도 마찬가지이지요. 여러분 저 '메시아'라는 단어가 성경에 처음 등장하는 대목은 어디일까요? 놀랍게도, 율법 이야기 속에서 메시아는 처음 등장합니다.

율법 이야기 속 메시아

메시아라는 말은 기름이 부어졌다는 말입니다. '마샤흐'라는 히브리어가 메시아로, 영어식으로 발음된 것이지요. 이 마샤흐를 신약성경이 기록된 희랍어로 옮기면 '크리스토스'가 됩니다. 이것이 우리말 성경으로 번역될 때 '그리스도'가 된 것입니다. 그래서 메시아, 그리스도는 같은 의미입니다. 그리고 이 단어가 처음 등장하는 대목은 바로, 출애굽기입니다.

출애굽기 28:41, 새번역
너의 형 아론과 그의 아들들에게 그것을 입히고,
그들에게 **기름을 부어서** 제사장으로 세우고,
그들을 거룩히 구별하여, 나를 섬기게 하여라.

하나님은 모세에게 아론과 그 아들들에게 제사장 옷을 입히고 기름을 부어서 제사장으로 세우라 명하십니다. 이때 "기름을 부어서"가 바로 마샤흐이고, 바로 여기가 사람에게 기름이 부어지는 성경의 첫 장면입니다. 그리고 우리는 이 사람에게 기름이 부어지는 첫 장면에서 기름을 붓는 의미를 확인할 수 있습니다. 기름부음은 제사장으로 임명하기 위한 것이지요. 그리고 그렇게 기름이 부어져 임명된 제사장들은 거룩히 구별됩니다. 즉 기름 부음은 '제사장'이라는 직책과 관련이 있었습니다. 그리고 이렇게 기름을 부어 제사장을 임명하는 민족을, 하나님은 이렇게 부르신 바 있습니다.

출애굽기 19:5,6, 새번역
그러므로 너희는 내가 선택한 백성이 되고,
너희의 나라는 나를 섬기는 **제사장 나라**가 되고,
너희는 거룩한 민족이 될 것이다.'
너는 이 말을 이스라엘 자손에게 일러주어라."

 거기 보면 "너희의 나라는 나를 섬기는 제사장 나라"라는 구절이 있지요. 즉 이스라엘은 기름이 부어진 제사장이 있는, 그리고 민족 전체가 제사장의 역할을 해야 하는 민족이었던 것입니다. 바로 이 제사장이라는 직책을 위해서 하나님은 이들을 이집트의 노예들을 출애굽 시키셨고, 바로 이 제사장이라는 직

책을 수행하게 하기 위해서 이들에게 가나안 땅을 주셨던 것입니다.

  하나님께서 왜 이렇게 하셨는지는, 토라 이야기의 그 이전 대목을 읽어보면 대번에 알 수 있습니다. 하나님은 아담과 하와에게 에덴에 있는 동산을 맡기셨는데, 그들이 하나님의 계명을 어겼을 때 인류는 악화일로를 걸었습니다. 인류의 첫째 아들이 살인자가 되고, 사람들을 이 땅에서 물로 심판했지만, 심판 이후에도 사람들의 타락한 인간성은 여전했습니다. 이러한 상황 속에서 하나님은 아브라함을 부르셨어요. 그리고 이러한 저주스러운 상황, 하나님께서 좋게 지으신 창조세계 전체가 안 좋게 된 상황 속에서, 아브라함에게 모든 것을 뒤집겠다고 약속하셨습니다. "땅에 사는 모든 민족이 너로 말미암아 복을 받을 것". 잘 보세요. 스케일이 땅에 사는 '모든 민족'입니다. 그리고 그들에게 '복'이에요. 그리고 저주가 복으로 뒤집히는 중심에 아브라함이 있게 될 것이라 말씀하신 것이지요. 그러므로 이 약속은 가볍지가 않습니다. 성경 전체를 담고 있고, 하나님의 의도 전체를 담고 있어요. 인간의 타락이 해결되고, 저주가 복으로 역전될 것이라는 이 신의 확언 속에 말입니다.

창세기 12:3, 새번역
…땅에 사는 **모든 민족이**
너로 말미암아 **복을 받을 것이다.**"

그리고 바로 이 아브라함의 자손이 이스라엘입니다. 즉 이스라엘은 저주를 복으로 바꾸기 위해 부름 받은 사람들입니다. 그리고 이 저주가 해결되었고, 이제 복되다고 선언하는 일을 누가 하느냐하면 바로 제사장이 합니다. 예컨대 고대 이스라엘에게 주어진 율법은 악성 피부병에 걸린 자를 부정한 자라 규정했습니다. 그리고 그는 다른 사람을 감염시킬 수 없도록 격리되어야 했어요. 그런데 그가 그 악성 피부병에서 나아서 깨끗하게 되었는지를 확인하는 사람이 바로 제사장입니다. 즉 제사장은 복과 저주의 경계에 서 있는 사람이고, 제사장 나라는 온 세계에서 복과 저주의 경계 위에 서있는 민족이 제사장 나라입니다. 따라서 이스라엘은 율법에 합당한, 복된 삶을 살아야 하는 것은 그들이 온 세계 위에서 하나님의 복과 저주의 기준이 무엇인지, 합당한 삶이 무엇인지 구현해야만 하는 것이지요.

그리고 이것이 율법 이야기, 창세기부터 신명기의 주제입니다.

"하나님은
인간의 타락으로 저주 받은 사람과 땅을,
아브라함을 통해서, 그들의 자손인
제사장 나라 이스라엘을 통해서,
복으로 바꾸실 수 있을 것인가?"

과연 반역을 일삼는 이 약하고 악한 이스라엘을 통해 하나님은 자신의 약속을 이루실 수 있을 것인가? 라는 질문을 남겨두고, 저 약속을 위해 분투하는 여호수아의 이야기로 넘어갑니다. 토라의 끝 부분인 신명기를 보면, 이스라엘이 제사장 나라로서 충실히 살았을 때의 복이 명시됩니다. 우리는 이스라엘이 제사장 나라로서, 즉 선과 악의 기준으로서 살았을 때 누리는 복이 어떻게 표현되었는지에 주목할 필요가 있습니다. 거기 보면, "당신들", "당신들의 태", 즉 자녀들이지요. 그리고 "땅이 복받아 열매를 내고", "가축들의 번성"이 언급됩니다.

신명기 28:1~4, 새번역
…당신들이 주 당신들의 하나님의 말씀에 순종하면,
이 모든 복이 당신들에게 찾아와서 당신들을 따를 것입니다.
당신들은 성읍에서도 복을 받고,
들에서도 복을 받을 것입니다.
당신들의 태가 복을 받아 자식을 많이 낳고,
땅이 복을 받아 열매를 풍성하게 내고,
집짐승이 복을 받아 번식할 것이니,
소도 많아지고 양도 새끼를 많이 낳을 것입니다.

그리고 제사장 나라로서 살지 못하면 겪게 될 저주들도 길게 이어집니다. 사실 복에 관련된 내용은 짧고, 저주에 대한 내용이 길다는 것은 이 이스라엘을 통해 순탄한게 이야기가 이어지지 않을 것을 보여주는 것이기도 하단 생각이 듭니다. 그런데 그 저주의 내용을 들여다봐도, "당신들", 당신들의 몸에서 태어난 자녀, 땅의 곡식, 가축들이 언급됩니다.

신명기 28:15~18, 새번역
"그러나 당신들이 주 당신들의 하나님의 말씀을 듣지 않고,
또 내가 오늘 당신들에게 명한
모든 명령과 규례를 지키지 않으면,
다음과 같은 온갖 저주가 당신들에게 닥쳐올 것입니다.
당신들은 성읍에서도 저주를 받고,
들에서도 저주를 받을 것입니다.
당신들의 곡식 광주리도 반죽 그릇도 저주를 받을 것입니다.
당신들의 몸에서 태어난 자녀와
당신들 땅의 곡식과
소 새끼와 양 새끼도 저주를 받을 것입니다.

신명기 28:46, 새번역
이 모든 저주는 당신들과
당신들의 자손에게
영원토록 표징과 경고가 될 것입니다.

그렇기 때문에 성경에서 말하는 언약백성과, 그들의 자녀와,
땅의 소산과 가축이 함께 언급된다면, 이것은 이 율법에 나오
는 제사장 나라가 누리는 복, 혹은 제사장 나라가 겪게 될 저주

와 관련된 내용임을 우리가 짐작해볼 수 있습니다. 게다가 이 복과 저주에 관한 내용은 이스라엘과 그 자손에게 "영원한 표징과 경고"이므로 무척 중요한 내용이지요. 그러니 이스라엘 사람들에게 이 내용에 무척 중요하고 또한 익숙했을 것입니다. 만일 어느 예언자가 이스라엘에게 "너희와, 너희 자녀와, 너희의 땅의 소산과, 너희의 가축들이 번성할 것"이라 말한다면, 이스라엘 사람들은 이 율법 이야기의 내용을 떠올렸을 것이 분명합니다.

어찌되었든, 우리는 지금까지의 내용을 정리해볼 필요가 있겠어요.

- 성경에서의 기름 부음은 제사장 임명을 위한 것이다.
- 이스라엘은 아브라함 언약을 따라 복과 저주의 기준으로, 즉 제사장 나라로서 부름을 받았다.
- 제사장 나라로 충실히 살 경우 복이, 그렇지 않을 경우 저주가 예언되었다. 그리고 이때 "당신들, 자녀들, 땅의 소산, 가축들의 번성"이 이 복과 저주를 말하는 방식이었다.

저주 위에서도 피어나는 희망

그런데 미리 이스라엘의 결말을 말씀드린다면, 이스라엘은 제사장 나라로서 살지 않았습니다. 복과 저주의 기준이어야 할 민족은, 이방 민족들과 똑같은 사고방식과 습관을 가지고 우상 숭배를 자행해왔고, 고아와 과부들은 굶주렸으며, 복과 저주의 기준이 되는 율법 이야기조차도 그들에게서 잊혀져갔습니다. 그래서 그들을 가만 둘 수 없었던 하나님은 이방 제국의 회초리를 들어, 그들을 훈육하셨습니다.

앗시리아가 쳐들어와서 이스라엘 열 지파가 사라졌고, 남은 두 지파 마저도 바벨론의 침공을 받아, 이스라엘이라는 나라는 지도에서 사라졌습니다. 그리고 이때 바벨론에 의해 성전이 무너진 것은 정말 사상 초유의 사건이었습니다. 하나님이 계신다고 생각했던 그 집이 무너졌을 때, 이스라엘 사람들의 심정을 상상해보세요. 자신들이 더 이상 제사장 나라일 수 없다는 사실을 뼈저리게 느낄 수 밖에 없었을 거에요.

그리고 바벨론만이 아니었습니다. 페르시아, 마케도니아, 로마. 세계사 시간에 배우는 굵직굵직한 제국들이 모두 제사장 나라로 부름 받은 이들 위에 군림했습니다. 그 아래서 유대인들은 자신들의 정체성을 확인할 수 있게 하는 성전을 다시 짓고, 그러한 유대인들에게 환심을 사고 싶었던 헤롯은 그 재건된 성전을 리모델링하기도 했으나, 여전히 그들이 포로라는 사실은 변함이 없었습니다. 그리고 그 성전 마저도 결국에는 로마에 의해서 무너지고 말았습니다.

이러한 포로기 시절, 우리는 유대인들이 어떠한 심경이었는지 상상해보는 것이, 성경 읽기에 있어서 아주 중요합니다. 사람이 힘들면, '대체 나에게 왜 이런 일이 벌어졌을까?'에 골몰하는 것은 자연스럽잖아요. 이스라엘은 민족 전체가 오랜 어려움을 당하고 있었고, 그 어려움의 이유를 역시나 '율법'에서 찾았습니다. 그런데 율법에 보니까 이런 구절들이 있네요.

신명기 17:18,19, 새번역
왕위에 오른 사람은
레위 사람 제사장 앞에 보관되어 있는
이 율법책을 두루마리에 옮겨 적어,
평생 자기 옆에 두고 읽으면서,
자기를 택하신 주 하나님 경외하기를 배우며,
이 율법의 모든 말씀과 규례를
성심껏 어김없이 지켜야 합니다.

주님께서는,
당신들을 다른 민족에게 넘기실 것이니,
당신들이 받들어 세운 왕과 함께,
당신들도 모르고
당신들 조상도 알지 못하던 민족에게로

끌어 가실 것이며,
당신들은 거기에서 나무와 돌로 만든
다른 신들을 섬길 것입니다.
당신들은, 주님께서 당신들을 끌어 가신 곳의
모든 백성 가운데서,
놀램과 속담과 조롱거리가 될 것입니다.

　왕위에 오른 사람은 율법을 필사하고, 그 율법을 충실히 이루는 사람이 되어야 한다고 말입니다. 그리고 이스라엘이 이방 제국의 포로가 되는 것은, 당신들이 받들어 세운 왕과 함께 이방 제국 아래서 우상을 숭배하고, 다른 민족의 놀림과 속담과 조롱거리가 되는 꼴을 당하게 될 것이라 말입니다. 즉 이스라엘 사람들이 세운 왕이, 율법을 충실히 지키지 않았기 때문에 그 왕과 민족이 모두 이방 민족에게 끌려가는 일들이 벌어질 것이라는 내용이, 이미 율법의 결말부인 신명기에 기록되어 있었습니다. 이유가 분명해집니다. '우리가 이렇게 이방 제국의 포로가 된 것은, 우리의 왕이 율법을 충실히 이루지 않았으며, 이 민족 전체가 제사장 나라답지 않았고, 우리는 신명기 28장에 기록된 저주 아래 있게 되었다'는 것이 유대인들의 생각이었습니다. 제국 아래서 가난하고 힘겹게 살던 이들은, 그들과 그들의 자녀와 땅의 소산과 가축들이 저주 받는, 그 신명기의 저주 상황이 현실이 되었다는 사실에 괴로워했습니다.

이러한 처참한 상황 속에서 그들은 그럼 어디에 마음을 둘 수 있었을까요? 그들은 신명기에서 자신들의 처지를 확인했듯이, 역시나 옛 이야기 속에서 희망의 단초를 발견했습니다. 그럼 이스라엘 역사 속에서 율법에 충실한 왕이 있었나? 그래서 이스라엘 사람들과 그들의 자녀들과 그 땅에서의 소산과 가축들이 복을 누리던 때가 있었나요?

있었지요! 바로 다윗이 다스리던 시절입니다. 다윗은 '왕'이지요. 앞에서 언급한 제사장과 함께 '왕'도 기름을 부어 임명하는 직책입니다.

사무엘상 16:13, 새번역
사무엘이 기름이 담긴 뿔병을 들고,
그의 형들이 둘러선 가운데서 다윗에게 기름을 부었다.
그러자 주님의 영이 그 날부터 계속 다윗을 감동시켰다.
사무엘은 거기에서 떠나, 라마로 돌아갔다.

이렇게 기름이 부어져 왕으로 임명되었던 다윗, 기름이 부어졌을 때 성령으로 충만했던 다윗은 율법을 사랑했던 왕이었습니다. 그리고 하나님은 하나님을 사랑하고, 율법에 충실하고자 했던 다윗에게, 다음과 같은 약속을 주셨습니다.

사무엘하 7:12~14A, 새번역
너의 생애가 다하여서, 네가 너의 조상들과 함께 묻히면,
내가 네 몸에서 나올 자식을 후계자로 세워서,
그의 나라를 튼튼하게 하겠다.
바로 그가 나의 이름을 드러내려고 '성전'을 지을 것이며,
나는 그의 나라의 왕위를 영원토록 튼튼하게 하여 주겠다.
나는 그의 아버지가 되고, 그는 나의 아들이 될 것이다.

정리해보면,

- 네 몸에서 나올, 즉 다윗의 자손을 통해
- 다윗의 나라를 튼튼하게 하겠다
- 그가 하나님의 집인 성전을 건축할 것이고,
- 그 다윗의 자손의 나라는 영원토록 튼튼할 것이며,
- 하나님은 그 다윗의 자손의 아버지가 되어 주실 것

이라고 말입니다. 즉 이 "다윗의 자손"에게 주신 하나님의 약속은, 포로기를 겪는 이스라엘에게는 유일한 희망이었습니다. 이 다윗의 자손이 나타나기만 하면, 다윗의 나라인 이스라엘은 다시 튼튼해질 것이고, 이방 민족에게 능욕을 당했던 성전은 다시 성전다워질 것이고, 그 다윗의 자손의 나라야 말로 영원한 나라이고, 하나님은 그 다윗의 자손의 아버지가 되고, 그 다윗의 자손은 하나님의 아들일 것이므로, 예언된 다윗의 자손이야 말로 이 포로기를 끝장내 주실 것이라 말입니다.

유대인들의 메시아와 예수

다시 우리는 ´메시아´라는 말로 돌아왔습니다. 이 단어는
´기름 부음 받아 임명받은 왕´이라는 의미이지만, 사실은 훨
씬 다채롭고 풍성한 이야기들 속에서, 특히 유대인들의 이야기
의 면면을 들여다봐야 비로소 그 단어의 의미를 알 수 있었습
니다. 우리는 2000년 전을 살던 유대인이 되어, 저 메시아라
는 단어가 어떤 느낌일지 상상해볼 필요가 있습니다. 만일 어

"메시아"
기름 부음 받아 임명 받은 왕

저 사람이 왕이라면,
율법에 충실할까?

제사장 나라를
튼튼하게 만들까?

신명기의 저주를 해결하고,
포로기를 끝낼까?

이방인에 의해 더러워진
성전을 깨끗하게 할까?

떤 이가 "내가 메시아입니다" 라고 했다면, 유대인들은 그 사람이 정말 메시아가 맞는지 평가하려고 했을 거에요. 다음과 같은 기준을 가지고서 말입니다.

- 저 사람이 정말 기름 부음 받은 왕이라면, 율법에 충실할까? 신명기에 이스라엘의 왕은 율법에 충실해야만 한다고 기록되어 있고, 그간의 왕들이 그렇지 않아서 이스라엘이 포로가 된 것이니까요.

- 또 이 사람이 정말 이스라엘의 왕이라면 이스라엘을 다시 튼튼한 제사장 나라로 만들어줄 수 있을까? 이것은 다윗의 자손에 관한 예언이 있기 때문에, 당연히 이런 생각을 할 수 있는 것이지요.

- 또 이 사람이 신명기의 저주를 끝내줄 수 있을까? 이 포로 상태를 벗어나게 해줄 수 있을까?

- 마지막으로 다윗의 자손이 성전을 건설한다는 예언대로, 이 사람이 성전을 성전답게 해줄 수 있을까?

이런 조건들에 의해 메시아를 평가하려고 했을 것이고, 따라서 "메시아"라는 이름으로 부를 수도 있지만, "다윗의 자손"이란 말도 메시아와 같은 의미라는 사실을 확인할 수 있습니다. 다윗의 자손에게 하신 예언을 성취하는 사람이 바로 메시아이니까요. 또 이렇게도 부를 수 있습니다. 하나님께서 다윗의 자손의 아버지가 되어주시고, 그는 아들이 된다고 했으니까, 메시아를 "하나님의 아들"이라 부를 수도 있을 것입니다. 따라서 지금 말씀드린, "메시아", "다윗의 자손", "하나님의 아들"은 모두 같은 이야기들을 공유하는 단어들입니다.

그리고 드디어 우리가 알고 있는 분이 나타났습니다. 예수. 그리고 예수 역시 같은 평가 기준에 의해, 유대인들의 생각 속에서 저울질 되었을 것입니다. 제사장 나라의 오랜 소망을 이뤄줄 것인지의 기대 속에서 말입니다.

그리고 우리가 잘 알고 있듯이, 예수는 세례요한에 의해 세례를 받으셨고, 이때 성령이 기름 붓듯이 예수께 부어졌습니다. 마치 다윗에게 기름이 부어졌을 때 그가 성령으로 충만했듯 말입니다. 그리고 성경 이야기를 알고 있다면, 누가봐도 이 예수의 세례 장면은 기름이 부어지는 임명식이지요. 예수는 제사장으로, 그리고 왕으로 임명되었던 것입니다.

그리고 요단강에서 기름 부음 받아 메시아로 임명되신 예수께서, 요단강에서 돌아와 하신 것은 회당에 들어가 자신이 고른 성경 구절을 읽고 선언하시는 일이었습니다. 예수께서 읽으신 본문은 다름 아닌, 이사야 61장이었습니다. 61장 내용을 찬찬히 읽어보겠습니다.

이사야 61:1~11, 새번역
주님께서 나에게 기름을 부으시니,
주 하나님의 영이 나에게 임하셨다.

임명되었다는 말이지요? 그리고 임명된 이유가 나오는데 바로,

주님께서 나를 보내셔서,
포로 된 사람들에게 해방을 선포하고,
눈먼 사람들에게 눈 뜸을 선포하고,

억눌린 사람들을 풀어 주고,
주님의 은혜의 해를 선포하게 하셨다

 포로 해방입니다. 그리고 무너지고 황폐해진 곳을 다시 건설합니다.

시온에서 슬퍼하는 사람들
…
그들은 오래 전에 황폐해진 곳을 쌓으며,
오랫동안 무너져 있던 곳도 세울 것이다.
황폐한 성읍들을 새로 세우며,
대대로 무너진 채로 버려져 있던 곳을
다시 세울 것이다.

   그리고 가축 떼와 땅의 소산에 관한 언급이 나옵니다. 신명기의 저주를 알고 있다면, 이 본문이 저주를 뒤집고 있다는 것을 알 수 있을 것입니다.

낯선 사람들이 나서서
너희 양 떼를 먹이며,
다른 나라 사람들이 와서

너희의 농부와 포도원지기가
될 것이다.

　그리고 제사장이 나왔습니다. 너희들이 이방인들도 인정하
는 제사장들이 될 것이라 말입니다.

사람들은 너희를
'주님의 제사장'이라고 부를 것이며,
'우리 하나님의 봉사자'라고
일컬을 것이다.

　그리고 지금까지의 수치받은 것이 보상되고 기쁜 일이 있을
것이라는 예언을 예수께서 직접 읽으셨습니다.

너희가 받은 수치를 갑절이나 보상하며,
부끄러움을 당한 대가로 받은 몫을
기뻐할 것이다.
그러므로 너희가
땅에서 갑절의 상속을 받으며,
영원한 기쁨을 차지할 것이다.

즉 이사야의 예언이 말하는 것은 다른 것이 아니었습니다. 지금은 포로에 지나지 않는 이스라엘이 다시 튼튼해진 제사장 나라가 될 것이고, 언약은 영원하며, 그들이 모든 민족, 만민 가운데서 복 받은 사람들로서, 복과 저주의 기준으로서 다시 서게 될 것이라는 아브라함 때부터 이어진 바로 그 내용이었습니다.

그리고 여러분이 포로 생활을 하는 유대인이라 생각해보세요. 이 사람들에게는 제대로 된 왕이랄 사람도 없고, 기름 부음 받은 제사장들은 부패했습니다. 그런 가운데 요단강에서 성령이 부어진 사람이 나타나, 자신이 유대인들의 평가 기준 그대로, 자신이 메시아라고, 자신이 그 다윗의 자손이라고, 자신이 바로 하나님의 아들이라고 선언했습니다. 이 선언에 사람들은 '마침내 오실 분이 오셨다'는 환희로 반응했을 것입니다.

그러나 복음서는 사람들의 메시아에 관한 이해가, 정작 예수께서 보여주시는 모습과는 불일치하다는 점을 보여줍니다. 이것이 복음서의 주된 내용이자, 우리가 몰라서는 안되는 내용입니다. 사람들은 메시아를 고대했고, 마침내 메시아가 나타났으나, 자신들의 기준에 묘하게 어긋나는 예수를 보게 됩니다.

**메시아는
율법에 충실한
왕**

**어? 근데 이 사람은
율법을 어기네?**

먼저 이들은 이스라엘을 포로 해방시켜줄 기름 부음 받은 왕은 율법을 잘 지키는 왕이라 생각했습니다. 그런데 정작 예수는 어떠셨지요? 일부러 안식일에 사람을 고치십니다. 일부러 안식일에 밀 이삭을 먹습니다. 먹을 때 손을 씻어야 한다는 정결 예식을 지키지 않습니다. 이건 유대인들에게 분명히 물음표로 남을 일이에요.

그리고 유대인들의 메시아는 신명기의 저주를 끝내주는 메시아입니다. 예수께서도 이것을 말씀하셨지요. 그런데 유대인들이 생각했던 포로 해방이란, 지금 자신들 위에 군림하고 있는 로마로부터의 포로 해방이었습니다. 그런데 예수는 로마와 싸울 생각이 없어요. 오히려 로마의 군인이 5리를 가자하면 10리를 가주라고 하고, 유대인들이 원수처럼 생각하는 로마인들을 사랑해야 한다고 말합니다. 이 역시 당대 유대인들의 바람과는 동떨어진 발언이었습니다.

그리고 성전입니다. 당시 유대인들의 성전은 아주 더러웠습니다. 심지어 빌라도는 갈릴리 사람들을 죽여다가, 그 피를 제물에 섞었던(누가복음 13:1) 일이 있었다고 누가복음이 전해줍니다. 그런데 그 성전을 다시 되찾아서 영광스럽게 해줄 것이라 기대했던 메시아는, 정작 이 성전이 무너질 것이라 말하고는 자신이 3일만에 일으킬 것이라 말합니다. 이 역시 유대인이 이해할 수 없었겠지요.

마지막으로 유대인들이 이해하던 메시아는 제사장 나라가 다시 튼튼해지는 것이었습니다. 그러나 예수는 오히려 예루살렘이 멸망하게 될 것이라 말씀하시고 눈물을 흘리셨습니다.

그런데 이렇게 불일치하는 면들이 있지만, 그럼에도 예수께서 메시아라는 사실을 많은 유대인들이 믿었습니다. 예수께서 나귀를 타고 예루살렘에 가야 하니, 나귀 좀 빌려오라고 제자들에게 말씀하셨을 때, 제자들이나, 나귀를 빌려준 사람이나, 예수님이나, 그리고 거기서 예수를 열광적으로 환영하던 인파

나 공유하고 있던 이야기가 있었습니다. 바로 스가랴 9장입니다.

스가랴 9:9, 새번역
앞으로 올 왕 도성 시온아, 크게 기뻐하여라.
도성 예루살렘아, 환성을 올려라.
네 왕이 네게로 오신다.
그는 공의로우신 왕, 구원을 베푸시는 왕이시다.
그는 온순하셔서, 나귀 곧 나귀 새끼인 어린 나귀를 타고 오신다.

"예루살렘에 왕이 오신다"는 것은 무슨 의미인가요? 이 왕은 기름 부음 받은 메시아, 곧 다윗의 자손입니다. 그런데 그가 예루살렘에 오기를 나귀를 타고 오신다는 것입니다. 이 내용을 그 자리에 있던 모두가 공유하고 있었습니다. 심지어 이 이야기는 교회에 있는 분들도 잘 알고 있고, 신천지에서 꼭 교육하는 교육 내용이기도 합니다. 그런데 문제는 이렇게 나귀를 타고 예루살렘으로 오신 메시아가 무엇을 하는지에 관해서는 양쪽 다 읽어본 일이 없다는 것이지요. 바로 다음 절을 보면 확인할 수 있습니다.

스가랴 9:10, 새번역
내가 에브라임에서 병거를 없애고,
예루살렘에서 군마를 없애며, 전쟁할 때에 쓰는 활도 꺾으려 한다.
그 왕은 이방 민족들에게 평화를 선포할 것이며,
그의 다스림이 이 바다에서 저 바다까지,
유프라테스 강에서 땅 끝까지 이를 것이다.

무기를 없애고, 평화를 선언하며, 이 메시아의 통치가 온세계에 이르게 됩니다. 즉 메시아는 이것을 하러 예루살렘에 나귀를 타고 오신 것입니다.

스가랴 9:11, 12, 새번역
너에게는 특별히, 너와 나 사이에 피로 맺은 언약이 있으니,
사로잡힌 네 백성을 내가 물 없는 구덩이에서 건져 낼 것이다.
사로 잡혔어도 희망을 잃지 않은 사람들아,
이제 요새로 돌아오너라.
오늘도 또 말한다. 내가 네게 두 배로 갚아 주겠다.

그리고 이것은 언약에 의한 것이며, 사로 잡혔던 백성의 해방은 반드시 벌어질 것입니다. 그리고 하나님의 갚아줌이 있을 것입니다.

그런데 문제는 내용이 아니라 그 내용을 이루는 방법입니다. 메시아는 예루살렘에 나귀를 타고 오셨으니, 반드시 무기를 없애실 것입니다. 그리고 평화를 선언하실 것입니다. 그리고 그의 통치가 예루살렘을 넘어 땅 끝에 이르게 될 것입니다. 그런데 그 시기와 방법에 있어서 유대인과 예수는 전혀 다른 생각을 가지고 있었습니다. 즉 같은 목적에 대한 전혀 다른 방법들이 충돌하고 있었던 것입니다.

요한복음 11:47~50
이 사람이 표적을 많이 행하고 있으니,
어떻게 하면 좋겠습니까?
이 사람을 그대로 두면 모두 그를 믿게 될 것이요,
그렇게 되면 로마 사람들이 와서
우리의 땅과 민족을 약탈할 것입니다.”
당신들은 아무것도 모르오.
한 사람이 백성을 위하여 죽어서
민족 전체가 망하지 않는 것이,
당신들에게 유익하다는 것을
생각하지 못하고 있소.”

여기 유대인들의 예언 성취 방법을 보여주는 좋은 예시가 있습니다. 유대 지도자들은 로마로부터 포로 해방이 있어야 한다는 것에는 재론의 여지가 없었습니다. 그리고 만일 이 로마로부터의 포로해방에 방해가 된다면, 죄 없는 사람을 죽일 사악한 생각 또한 가지고 있었고, 이것을 실천에 옮겼습니다. 이러한 악한 생각과 실천은, 자신들이 죽을지도 모른다는 죽음에 대한 두려움 때문이었습니다. 그래서 죄 없는, 로마와 싸우지 말아야 한다고 하는, 그러나 사람들이 메시아로 오해하고 있는 한 사람을 이스라엘 민족 전체를 위해 죽이고자 합니다. 그래서 벌어진 사건이, 십자가입니다.

그리고 우리는 그 십자가 위에서 예수께서 하신 말씀을 알고 있습니다. "다 이루었다" 신천지 교인이 말합니다. 그 말은 구약을 이뤘다는 말이라고, 여전히 남은 것이 있다고. 그러나 이 말은 아무 것도 모르고서 하는 말입니다. 율법으로부터 시작된 지금까지 이야기는 예수께서 이루신 것의 내용을 보여줍니다. 그러나 신천지 교인은 이 내용을 접해본 적이 없습니다.

예수는 자신을 향해 유대인들이 가졌던 기대를 모두 이루신 것입니다. 그것도 그들이 전혀 상상해보지 않았던, 그리고 원하지 않았던 방법으로 말입니다.

메시아 예수는 무엇을 이루셨는가?

(1) 메시아는 율법을 이루셨다

먼저 예수는 율법을 이루셨습니다. 율법을 이루는 것은 이웃을 사랑하는 것인데, 예수는 자신의 손에 못을 박는 로마 군병조차도 원수를 갚지 않고 사랑하셨습니다. 즉 십자가에서의 죽음은 모든 사람을 사랑하셨던, 율법이 본래부터 이스라엘에게 요구했던 것에 예수께서 충실하셨다는 것을 보여줍니다. 레위기에 기록되어 있듯이,

레위기 19:18
원수를 갚지 말며 동포를 원망하지 말며
네 이웃 사랑하기를 네 자신과 같이 사랑하라
나는 여호와이니라

이 율법의 내용은 메시아의 죽음으로 온전히 이뤄졌습니다. 바울이 증언한 그대로 말입니다.

갈라디아서 5:14, 새번역
모든 율법은
"네 이웃을 네 몸과 같이 사랑하여라"
하신 한 마디 말씀 속에 다 들어 있습니다.

(2) 메시아는 신명기의 저주를 자신의 몸으로 끝내셨다

그리고 신명기의 저주 역시 메시아 예수의 십자가에서 끝장이 났습니다. 그런데 그 방식이란, 인간이 무언가를 실천하고 그 실천에 따라 평가 받는 방식이 아니었습니다. 그저 그리스도께서 우리를 위해서 신명기의 저주를 스스로 감당하시는 방식으로 말입니다. 신명기는 말합니다.

신명기 21:22,23
사람이 만일 죽을 죄를 범하므로
네가 그를 죽여 나무 위에 달거든
그 시체를 나무 위에 밤새도록 두지 말고
그 날에 장사하여 네 하나님 여호와께서
네게 기업으로 주시는 땅을 더럽히지 말라 나

무에 달린 자는 하나님께 저주를 받았음이니라

　율법의 목적을 온전히 이룬, 그래서 율법의 저주와 무관한 분이 율법이 명시한 저주를 오롯이 받으셨을 때, 우리는 비로소 이 아브라함의 자손을 통해 율법의 저주에서 벗어날 수 있었던 것입니다. 그리고 이것이 진정한 포로 해방이었던 것입니다. 로마로부터의 해방이 아니라, 죄와 저주로부터의 해방입니다. 아브라함의 자손이자 다윗의 자손이신 예수를 통해 말입니다. 그리고 이 신명기 내용의 성취를 바울은 이렇게 표현합니다.

갈라디아서 3:13, 새번역
그리스도께서 우리를 위하여
저주를 받은 사람이 되심으로써,
우리를 율법의 저주에서 속량해 주셨습니다

(3) 메시아는 성전 건축을 시작하셨다

그리고 그 비참한, 그러나 사랑의, 저주를 끝장내는 메시아의
죽음 이후 사흘 째, 그가 다시 살아나셨을 때, 그의 부활한 몸
바로 다윗의 자손이 재건해야 할 성전이었습니다. 그리고 이
로써, 요단강에서 임명 받으셨던 예수는, 바로 이 십자가와 부
활로써 메시아라는 사실이 인정되었고, 승천하셔서서 왕의 자리
에 오르셨습니다. 그리고 스가랴의 예언대로 그의 통치가 땅
끝에 이르렀습니다. 이번에는 요한의 말을 들어봅시다.

요한복음 2:19,21, 새번역
예수께서 그들에게 말씀하셨다.

"이 성전을 허물어라.
 그러면 내가 사흘 만에 다시 세우겠다."

그러나 예수께서 성전이라고 하신 것은
자기 몸을 두고 하신 말씀이었다.

(4) 메시아는 제사장 나라를 영원히 튼튼하게 하셨다

승천하셔서 자신의 자리에 오르신 예수께서 성령으로 이제 새로운 제사장들을 임명하십니다. 그들이 성령을 받아, 마치 예수께서 성령으로 임명되셨듯이, 그들 역시 성령을 받아 아론과 그의 아들들처럼 제사장들로 임명됩니다. 즉 성령을 받았다는 것은 내가 제사장으로 임명되었다는 것이고, 베드로는 그 성령 받은 이들을 이렇게 부릅니다. "왕 같은 제사장들"이라 말입니다. 율법이 기름 부어 임명하는 두 직책이, 곧 성령 받은 교회의 직책입니다. 그래서 교회가 "제사장 나라"입니다. 다윗의 자손의 나라임으로, 영원히 튼튼한 나라입니다. 베드로가 같은 것을 고백합니다.

베드로전서 2:9, 새번역
여러분은 택하심을 받은 족속이요,
왕과 같은 제사장들이요,
거룩한 민족이요, 하나님의 소유가 된 백성입니다.
그래서 여러분을 어둠에서 불러내어
자기의 놀라운 빛 가운데로 인도하신 분의 업적을,
여러분이 선포하는 것입니다.

이러한 내용들이 예수께서 메시아로서 이루신 것입니다. 유대인들의 기대를, 전혀 다른 방식으로. 그러나 이것을 "예수는 구약을 이루신 것이니까, 신약이 남았어"라 말하는 것은 예수의 시각으로 신명기를 한 번도 읽어본 적이 없다는 것을 보여줄 뿐입니다. 그 신명기의 결말인 30장에서 신명기는 모든 것을 알고 있었다는듯이 이렇게 말합니다.

신명기 30:1~5, 새번역
나는 당신들에게 당신들이 받을 수 있는
모든 복과 저주를 다 말하였습니다.
이 모든 일이 다 이루어져서,
당신들이 주 당신들의 하나님이 쫓아내신
모든 나라에 흩어져서 사는 동안에,
당신들의 마음에 이 일들이 생각나거든,
당신들과 당신들의 자손은
주 당신들의 하나님께로 돌아와서,
마음을 다하고 정성을 다하여
오늘 내가 당신들에게 명령한
주님의 모든 말씀을 순종하십시오.
그러면 주 당신들의 하나님이 마음을 돌이키시고,
당신들을 불쌍히 여기셔서,
포로생활에서 돌아오게 하여 주실 것입니다.

그리고 주 당신들의 하나님이 당신들을,
그 여러 민족 가운데로 흩으신 데서부터
다시 모으실 것입니다.
쫓겨난 당신들이 하늘 끝에 가 있을지라도,
주 당신들의 하나님은,
거기에서도 당신들을 모아서 데려오실 것입니다.
주 당신들의 하나님이 당신들을
당신들의 조상이 차지했던 땅으로 돌아오게 하시어,
당신들이 그 땅을 다시 차지하게 하실 것이며,
당신들의 조상보다 더 잘 되고
더 번성하게 하여 주실 것입니다.

　"너희가 포로 생활 중에 이 일이 생각나거든" 으로 시작하는
이 신명기 본문은 언약을 저버린 이들에게 돌아올 것을 요구하
고 있습니다. 돌아와야 하는 곳은 바로 "주의 말씀"이며, 그 말
씀은 예수이고, 그 예수께 순종하면, 포로해방이 가능합니다.
그리고 하나님은 바로 이러한 방식으로 돌아오는 포로들을 다
시 모으십니다. 하늘 끝에 가 있더라도, 그들을 모아, 땅 끝에
이르는 통치를 완성하실 것이며, 이렇게 돌아온 이들에게 땅
을 주실 것이라고 오래된 문헌이 말하고 있습니다.

저는 이 예수를 통해 자유를 얻은 이들이, 마침내 상속 받는 땅의 이름을 알고 있고, 그간 강의를 통해 숱하게 말해왔습니다. 모든 민족으로부터 부름받은 제사장 나라가 상속받을 땅 말입니다. 그 땅은 팔레스타인 땅을 말하는 것도 아니고, 대한 민국도 아니며, 과천은 더더욱 아닙니다.

예수로 인해 내가 새롭게 되었든, 예수로 인해 제사장 나라가 새롭게 되었든, 예수로 인해 모든 민족이 저주에서 복으로 전환되었듯, 같은 방식으로 새롭게 될 땅, 곧 새 하늘과 새 땅이, 제사장 나라에게 주시는 땅입니다. 곧 예수의 부활처럼 새롭게 될 우주 전체가, 신명기의 결말, 토라 이야기의 결말입니다.

"다 이루었다"

메시아는 율법에 충실한 왕

메시아는 신명기의 저주를 끝냄

메시아는 성전을 재건

메시아는 제사장 나라를 영원히 튼튼하게

요한계시록의 소망, 토라의 소망

저는 지금까지 요한계시록에 관한 언급 없이 토라가 어떤 소망을 제시하고 있었고, 예수께서 그 소망을 어떻게 이루셨는지를 간단하게 스케치했습니다. 성경이라는 고대문헌이 보여주는 소망에 관해서 말할 때, 요한계시록이 없이도 설명 가능한 이유는 요한계시록의 소망이 곧 토라의 소망이기 때문입니다. 고대의 표현 방식 속에서 현대인이 오해했을 뿐이지, 사실 둘은 완전히 같은 결말을 제시하고 있습니다. 그래서 구약성경의 결말도 이사야에 등장하는 새 하늘과 새 땅이고, 요한계시록의 결말도 새 하늘과 새 땅입니다. 요한계시록 역시 토라 없이는 볼 수 없는, 이미 사용된 용어들이 다분히 토라적인 책입니다.

이러한 이유로, 구약과 신약을 분리시키고, 신약에서 다시 요한계시록을 분리시키는 단초한 성경 이해는 성경적이라 말할 수 없습니다. 신약이 구약을 대체할 수 있다고 주장하는 '대체신학'이라 부르는 입장이 있었습니다. 이러한 입장은 이미 논파되어 잘못된 것으로 알려졌습니다. 그러나 이 그릇된 신학의 망령이 오늘날 사이비 이단의 교리로 포장되어 사람들을 현혹시키고 있습니다. 그리고 그 선봉장으로 이만희씨와 신천지 지도부가 있습니다. 이들은 전대미문의 새로운 해석을 내놓은 것이 아니라, 이미 죽었다고 판명된 신학 이론을 새롭다고 속이고 있을 뿐입니다. 이 점에 관해서 자세히 다루는 시간이 따로 있을 것입니다.

**현장에서 강의했던 영상을
유튜브에서 보실 수 있습니다**

일곱 번째 강의 이후

Q. '기름 부음 받았다'는 표현에 관하여 설명해봅시다

Q. 메시아는 어떤 일들을 해야하나요? 사무엘하 7장을 근거로 이야기 해봅시다.

Q. 유대인들이 메시아에게 기대했던 것은 무엇이었나요?

Q. 사도들이 고백하는 예수는 메시아로서 무엇을 이루셨나요?

Q. 신명기는 어떤 책인가요? 그리고 토라의 결말에 관해 이야기 해봅시다.

나가는 글

딸이 신천지 교인이 되었다고 어떻게 해야겠냐고 제가 연락하셨던 어느 아버지가 있었습니다. 딸이 신천지 교인이라는 사실에 낙담하고 막다른 골목에 있는 것처럼 느끼던 아버지에게 제가 조언했던 것은, 사실 따지고 보면 딸과 성경에 관해서 잘 모르신채 결론을 내시고 절망하신 것이 아니냐. 그러니 딸이 잘못되었다고 결론부터 내실 것이 아니라, 딸에게 배우겠다는 성경을 보시다 궁금한 내용들을 물어보시면 어떻겠느냐는 제 안이었습니다. 정직한 아버지는 그날부터 토라를 한 장 한 장 읽어나갔고, 그때마다 궁금한 것들을 정리해서 딸에게 물어보았습니다. 아버지가 딸에게 가르쳐달라고 말하는 것은 정말 어려운 일이었겠지만, 이 정직하고 겸손한 아버지는 진지하게 토라를 읽어나갔고, 딸과 결론을 미리 정해놓지 않은 대화를 하고자 했습니다. 처음에는 신천지 교인인 딸이 의기양양하게 어떤 질문이라도 좋다고 호언장담하더니, 이후로는 점점 아버지의 질문을 회피하기 시작했습니다. 그리고 끝내는 정작 자신도 성경을 제대로 읽어본 일이 없다는 것을 실토하더군요. 그리고 지금은 탈퇴하여 아버지와 잘 지내고 있습니다. 그리고 이 과정 속에서 아버지가 딸과의 갈등을 피하고자 섬기고 돌보려 했던 그 마음과 과정을 저는 알고 있습니다.

토라는 성경 이해의 근본 토대입니다. 집을 지을 때 기초공사를 잘 해야하듯이, 성경을 읽어보려는 모두는 토라에 대한 적절한 이해가 필요합니다. 이것이 없어서 교회가 예수를 쉽게 오해하고, 이것이 없어서 사이비 이단에 쉽게 발을 들여놓습니다. 이 사실을 깨닫는데 까지 저 역시 너무 오래 걸렸고, 성경을 찾는 이들에게 토라부터 소개하지 않았던 과오를 저 역시 겪었습니다. 그리고 마침내 발견하게 된 시작점을 여러분과 함께 나누었습니다.

이 책은 성경 읽기를 시작하는 개인과 공동체를 돕기 위해 쓰였습니다. 만일 이 책과 더불어 성경을 직접 읽기를 원하시는 분이 있다면, 창세기가 아닌 출애굽기부터 읽기를 권해드립니다. 출애굽한 이스라엘 백성이 400여년간 노예 생활 속에서 자신들이 누구인지 잊고 있었을 때, 하나님은 모세를 통해서 광야에 덩그러니 놓인 이들에게 그들의 출생의 비밀을 전해주셨습니다. 그 이야기가 창세기입니다.

"태초에 하나님께서 **그 하늘과 그 땅**을 창조하셨다"

출애굽한 이스라엘 사람들이 경험하고 있던 그 하늘과 그 땅의 창조자로부터 그들이 누구인지를 확인했던 것이지요. 본서의 6장에서 출애굽한 이스라엘과 에덴동산의 두 사람이 마치 평행이론 처럼 닮은 것은 바로 이러한 이유 때문입니다.

창세기는 과학이론과의 비교를 위해서 쓰인 것도 아니고, 사이비 이단들이 주장하는 것처럼 비유로 쓰인 것도 아닙니다. 이집트 왕자 출신인 고대인이 살았던 문화적 저변 위에서, '이스라엘은 누구인가?' 라는 물음에 답변을 제시하는 책으로서 창세기입니다. 이런 점에서 창세기는 출애굽기의 프리퀄이라고 말할 수 있을 것입니다. 기회가 닿는다면, 독자 여러분과 출애굽기를 함께 읽고 이야기 나누는 자리를 마련해도 좋겠다 싶습니다. 그 자리에는 사이비 이단 경험자도 있고, 교인도 있고, 또 진리에 목마른 무신론자도 자리했으면 좋겠습니다. 그저 오래된 이야기에서 새로운 것을 발견할 수 있다는 기대를 가진 사람들이, 토라 이야기에서 한 분 하나님을 발견할 수 있다면 더할 나위 없을 것입니다.

마지막 페이지까지 읽어주셔서 감사하고, 또 함께 이야기를 나눴던 교회들에도 감사를 드립니다. 또한 아픈 몸으로도 교열에 열심을 내주신 이학수 목사님께도 감사를 드립니다. 모쪼록 토라가 오늘날 우리와 어떤 상관이 있는지, 특히 사이비 이단 문제에 있어서 토라가 왜 근본 토대인지에 관한 충분한 설명이 되었기를 바랍니다. 그리고 저는 이제 교회들과 나누었던 예언서 이야기를 편집하러 갑니다. 토라를 오해했던 것은 교회만이 아니었다는 사실에 위안을 느끼면서도, 유대인의 오해를 통해 진실을 드러내신 한 분을 만나기 위함입니다. 아마도 새로운 시리즈의 제목은 <폐허 위에서 부르는 노래>가 되지 않을까 합니다. 다음 책에서 뵙겠습니다.

난지 14712일

송죽동에서